MERIAN *live !*

Provence

Paul Otto Schulz

D1289854

Chantecler

Joueurs de pétanque à l'ombre des grands platanes

Sommaire

Cartes et plans
Provence: rabat avant; **Marseille:** rabat arrière
Avignon: couverture arrière; **Aix-en-Provence:** p. 36; **Arles:** p. 58;
Orange: p. 100

BIENVENUE EN PROVENCE

Provence égale "savoir-vivre": mets aromatiques et vins corsés, paysages superbes, cités historiques, loisirs et culture à foison.

Ouvrages romains, art roman, abbayes et cathédrales, châteaux et forteresses, villages ocre, mas roses, cyprès, champs de lavande, marchés pittoresques, vendanges et fêtes des moissons... Et Pétrarque, Paul Cézanne, Vincent Van Gogh, Pablo Picasso, Alphonse Daudet, Marcel Pagnol, Jean Giono, Albert Camus, Samuel Beckett... La Provence est une terre de vacances que tout amoureux de la nature a envie de découvrir. Lorsqu'on croit avoir exploré tous ses recoins secrets, elle vous surprend par des facettes totalement inconnues. Les paysages se suivent, mais ne se ressemblent pas, loin s'en faut: telle la plaine de **Camargue** et ses salins, ses marais et ses pâturages peuplés de chevaux blancs et de taureaux noirs dans la lumière aveuglante. C'est aussi le pays par excellence des gracieux flamants roses. Le contraste le plus saisissant avec ce delta rhodanien est offert par le paysage rocailleux et montagneux de **la Haute-Provence** et des premiers contreforts des Alpes avec leurs bois, leurs lan-

Chambres avec vue sur le port de Cassis

des, leurs ruisseaux, leurs cultures et leurs villages endormis.

De surprise en surprise

Même sur le littoral, les impressions les plus hétéroclites se bousculent: les longues plages de sable de la Camargue, les falaises de la **corniche des Crêtes près de Marseille** avec ses calanques, les vignobles en terrasses sur les coteaux de Cassis, les palmiers des promenades des stations balnéaires.

Et la liste continue. Il y a encore le massif majestueux du **mont Ventoux** (1 909 mètres), qui occupe le centre de la Provence tel un énorme point de repère et constitue un univers en soi.

Au pied du mont Ventoux se dressent les **Dentelles de Montmirail**, un relief miniature très attachant, un peu découpé comme les Dolomites. La montagne se niche au sein d'un décor multiple: vignes et cultures fruitières à perte de vue, petits champs ondoyants de blé et lavande, collines plantées d'oliviers, de cèdres et de pins, et enfin bois denses aux essences variées à flanc de collines. Au-dessus un désert lunaire, en bas un jardin d'Eden fait de miel et de vin. Du haut de ce "toit de la Provence", le regard porte loin: jusqu'au bleu soyeux de la Méditerranée et aux pics enneigés des Alpes. Le mont Ventoux domine tout le Vaucluse et une grande partie de la vallée du Rhône.

Le Vaucluse, au paysage ultra-

On célèbre les fêtes en costume traditionnel et à cheval.

provençal, se partage entre un plateau aride et des vallées fertiles bien irriguées avec des villes comme Carpentras, le principal centre maraîcher du sud de la France et son air de Toscane.

La Provence dispose d'une bonne infrastructure routière. Mais si vous voulez sortir des itinéraires touristiques, empruntez plutôt les petites routes secondaires.

Le voyageur qui entre dans la vallée du Rhône par le nord peut aisément se fondre dans le paysage provençal aux allures de jardin ou de parc. A Orange, il sera déjà accueilli par des cultures d'artichauts et de tournesols, par des tomates et des melons, des plantations d'abricots et des vignobles, typiquement ceinturés de hautes haies de roseaux et de

BIENVENUE EN PROVENCE

rangées de cyprès qui freinent l'élan glacé du mistral.

Des vallées extraordinaires

Par ailleurs, aucun cours d'eau ne ressemble à un autre: le **Rhône** paisible avec ses élégants bateaux de croisière blancs et ses péniches est bordé de vignobles de part et d'autre de son cours inférieur. La **Durance**, qui prend sa source dans les Alpes, est toujours un enfant turbulent indompté. Ensuite, on trouve le **Verdon** dont les gorges profondes représentent l'un des paysages les plus grandioses d'Europe. La **Nesque** et le **Gard** coulant dans des canyons sont deux rivières magiques. Et enfin, il y a les innombrables cours d'eau de la Camargue, ourlés de roselières et bourdonnants de libellules...

Chaînes de montagnes romantiques

Il y a encore la crête boisée du **Luberon** qui abrite un parc naturel et la **montagne Sainte-Victoire** immortalisée par Paul Cézanne dans ses tableaux. Ainsi que le **massif de la Sainte-Baume**, sauvage et dénudé, où la sainte pécheresse Marie-Madeleine se retira en pénitence dans une grotte. Sans oublier les **Alpilles** jaunâtres, autrefois le nid d'aigle du comte des **Baux**, le site des ruines les plus belles et les plus désolées de France.

Les plus beaux vestiges de l'Empire romain

La Provence compte de nombreux témoignages d'un riche passé. A lui seul, le nom de "Pro-

Champs de lavande devant l'abbaye de Sénanque

vence" renvoie à l'ancienne possession romaine *Provincia Gallia Narbonensis* qui s'étendait des Alpes à l'est jusqu'aux Pyrénées à l'ouest. L'*Imperium romanum* a régné sur ces terres et ces peuples pendant plus d'un demi-siècle. Dans la "province", les occupants façonnèrent des villes à leur image. Ils prirent **Marseille** aux colonisateurs grecs. Aujourd'hui encore, des édifices romains, qui n'ont rien à envier à Rome, attestent de leur haute qualité de vie: le temple de **Nîmes** à la beauté inégalée, les amphithéâtres d'**Arles** et de **Nîmes** où la foule continue comme jadis à acclamer les combats de taureaux, le théâtre d'**Orange** où des spectacles ont toujours lieu, le **pont du Gard**, un remarquable ouvrage d'art classé patrimoine mondial par l'UNESCO.

Les assujettis de l'époque, toute une série de peuples regroupés sous le nom générique de Celto-Ligures, conclurent un pacte avec les colons romains après la chute de l'Empire romain. De ces "Gallo-Romains" sont issues jusqu'à l'époque carolingienne les élites du clergé, des sciences, de l'administration, de la justice et des arts.

Eglises et abbayes romanes uniques

Le Moyen Age a également légué à la Provence une série de monuments superbes, quoique d'une nature moins païenne que ceux de l'Antiquité. C'est ainsi qu'avec l'abbaye de **Sénanque**, l'architecture romane conçut une harmonie unique entre l'humilité de la foi et la rigueur de l'ordre cistercien. Avec les abbayes de **Silvacane** et de **Thoronet**, elle constitue une triade sans équivalent dans l'art roman. L'église St-Trophime à Arles est considérée comme la plus belle cathédrale de la Provence. Son cloître est certes l'un des plus ouvragés. C'est ici que Barberousse a été sacré roi du royaume d'Arelat.

Les troubadours chantaient en provençal

De la chevalerie et de ses imposants châteaux forts restent surtout des ruines romanes, à l'exception du château plutôt gothique du "bon roi René" de Tarascon, l'un des plus beaux châteaux médiévaux de France. L'héritage impérissable des chevaliers de l'âge d'or moyenâgeux sont les 2 600 chansons courtoises des troubadours, tels qu'ils s'appelaient dans leur langue natale, le vieux provençal. Le provençal fut progressivement supplanté par le français. Il connut un bref regain de popularité grâce à la poésie, quand Frédéric Mistral reçut en 1903 le prix Nobel de littérature pour *Mireille*, son célèbre poème épique. Même si le provençal n'est plus parlé que par quelques personnes âgées, l'accent chantant du Midi qui traîne sur les voyelles n'échappe pas à l'étranger. C'est ce qui différencie le français parlé par les Provençaux du parisien. Les sermons sont toujours délivrés en provençal lors de nombreuses fêtes populaires.

Il a fallu que la Provence soit militairement conquise par Paris pour devenir française à part entière, partiellement sous le couvert de guerres de religion, comme la persécution des Albigeois et des protestants. C'est la Révolution française, semant la terreur en maints endroits, qui sonna le glas d'une Provence libre. Dans la ville portuaire de Marseille, qui donna son nom à la *Marseillaise*, la guillotine ne chôma pas.

Villes et villages, reflets de l'histoire

Les cités historiques et leurs musées, mais aussi quantité de villages, reflètent l'histoire jusqu'au temps des Celto-Ligures, des Grecs, des Romains, des Gallo-Romains du Moyen Age et de la francisation à l'époque moderne. On trouve des centres-villes fascinants à **Aix-en-Provence** autour de l'hôtel de ville, de la cathédrale et du cours Mirabeau, avenue exceptionnelle; à **Arles** autour de Saint-Trophime, du théâtre antique et des arènes; à **Avignon**, autour du palais des Papes (propriété de l'Eglise jusqu'en 1790); à **Nîmes** où, outre les édifices antiques, la vieille ville et le jardin de la Fontaine sont un enchantement, et à Orange, autour des bâtiments romains.

Apt, Gordes (et ses maisons de l'âge de la pierre: les bories), Fontaine-de-Vaucluse, Roussillon, Ménerbes, Oppède, les Saintes-Maries-de-la-Mer ou Vaison-la-Romaine méritent certainement le détour. Prenez donc le temps de visiter tous ces endroits.

Savoir-vivre provençal

L'amour de la Provence passe forcément par sa table. Cela dit, il n'est pas toujours nécessaire de faire un sort aux succulents plateaux de fruits de mer de grands restaurants renommés pour toucher du doigt le "savoir-vivre" des Provençaux. Il suffit de goûter une "daube de bœuf" dans un restaurant modeste. Un simple pique-nique en bordure d'un champ de lavande, composé de quelques olives, de saucisson d'Arles, de fromage de chèvre, de l'incontournable baguette et d'une bouteille de vin parfumé, peut être inoubliable.

L'art de vivre provençal surgit également au détour d'une flânerie à travers le, ou plutôt les marchés. L'abondance des produits offre tout ce que l'on peut désirer dans ce pays de cocagne: des fruits, des herbes aromatiques, des spécialités, de la volaille et du gibier, sans parler de l'immense choix de poissons et autres mollusques et crustacés. Des odeurs de vin frais, d'ail en tresse, d'huile d'olive en bouteille, d'agneau rôti vous assaillent de toutes parts. Choisir soigneusement des marchandises de qualité et marchander un peu: voilà, à ce qu'il paraît, les préliminaires indispensables à un bon repas.

Il existe une seconde catégorie de marchés à peine moins populaires et qui bénéficient apparemment d'un approvisionnement illimité: la brocante, la céramique, le textile, les souvenirs. A **L'Isle-sur-la-Sorgue**, le marché hebdomadaire a lieu le même jour que celui des antiquités: il y a deux fois plus d'animation et deux fois plus de plaisir.

Les fêtes traditionnelles

L'atmosphère est extraordinaire quand les Provençaux se réunissent lors de l'une de leurs fêtes chaleureuses. Outre les festivals grandioses – de théâtre, d'opéra, de ballet ou de jazz –

de renommée internationale comme Avignon, Arles, Nîmes, Orange ou Marseille, le pèlerinage des Gitans aux **Saintes-Maries-de-la-Mer** et les corridas d'Arles et de Nîmes sont des événements majeurs. Mais les Provençaux font également grand cas de fêtes folkloriques comme la fête de la Tarasque, le monstre de Tarascon, les fêtes des saints, comme les fêtes de Marie-Madeleine à la Sainte-Baume ou la Saint-Louis, le roi croisé, à Aigues-Mortes. Sans oublier les vraies fêtes traditionnelles comme la "retraite aux flambeaux" du Petit-Saint-Jean, un garçonnet quelconque censé protéger la ville de Valréas pendant une année. On peut y ajouter les nombreuses fêtes du vin et des moissons dans chaque village ou presque, pour ne pas dire chaque quartier. Citons en

La lumière provençale attire beaucoup de peintres.

9

exemple la fête des vendanges avec des danses et des chants en provençal, de l'hymne de grâces ou la féria des prémices du riz à Arles.

Le jeu, le sport, l'aventure

En Provence, on peut pratiquer toutes sortes de sports et d'activités physiques. La randonnée, le vélo, l'escalade... cette région offre des conditions idéales grâce à des paysages variés et des panoramas époustouflants. Tout le monde peut s'essayer aux **boules**, un jeu qui se pratique quasiment en tout lieu, pourvu qu'il soit ombragé. Les **gorges du Verdon** et les falaises des **Calanques** sont le royaume des alpinistes. Le littoral est, lui, le paradis des baigneurs et des plongeurs, des pratiquants de la voile, du surf et du canoë de toutes catégories. On peut aussi s'adonner sur toutes les bonnes plages à cette activité combinée agréable qui est la "natation" et le "bronzage". Pour les adeptes aventureux de natation et de canoë-kayak, le **grand canyon du Verdon** et ses eaux sauvages sont un paradis, au même titre que pour les amateurs de plus en plus nombreux du rafting. Mais la montagne se prête aussi aux évolutions intrépides des VTT, des deltaplanes et autres parapentes.

N'oublions pas les sports d'hiver: la Haute-Provence est un domaine skiable où la neige tient longtemps. Le mont Ventoux est lui aussi bien équipé en pistes et remonte-pentes, au grand bonheur des skieurs.

Les rochers blancs et les eaux bleu turquoise du canyon du Verdon

Le train vous emmène en Provence, mais il ne vous la fera pas visiter. Les liaisons en bus sont rares. Pour voir beaucoup de choses, la voiture est indispensable.

En voiture

L'autoroute du Soleil (N7) est la voie directe la plus rapide pour gagner le sud de la France. C'est une autoroute à péages. Les points de péage sont annoncés quelques kilomètres à l'avance au moyen de grands panneaux. On prend généralement une carte au premier distributeur et l'on paie au terme d'un trajet donné.

L'autoroute du Soleil est en bon état. Elle est par ailleurs bien pourvue en stations-service, aires de repos, motels et parkings. Ils sont le plus souvent équipés de tables de pique-nique, d'aires de jeux et de toilettes. En Haute-Provence, les routes sont parfois assez étroites et fréquemment sinueuses. Les restaurants et les motels mettent à votre disposition des dépliants bleus intitulés "Carte-Guide des Autoroutes Paris-Rhin-Rhône". Vous y trouverez de précieuses informations sur les routes et les services.

On peut rallier aisément et rapidement la Provence en voiture. Respectez la limitation de vitesse de 130 km/heure! La voiture permet en outre d'admirer le paysage sans cesse changeant de la France.

Il est conseillé de ne pas partir au cours de la première semaine d'août. C'est à cette période en effet que débutent les grandes vacances en France et leurs cortèges de bouchons.

Panneau indicateur le long de l'autoroute du soleil

En autocar

De nombreuses agences font des offres intéressantes à des prix parfois très bas. Dans certains cas, les visites et excursions sont comprises dans les forfaits. Les autocars sont ultra-confortables et presque toujours dotés de l'air conditionné. Pour de plus amples informations et détails précis, renseignez-vous auprès des diverses agences de voyages.

En avion

Au départ de la Belgique, le vol est direct jusqu'à Nice. Au départ de Paris, il y a des vols pour Nice, Marseille, Nîmes et Toulon. Il existe aussi des mini-vols vers Nice avec séjour de quelques jours. Tous les aéroports possèdent des agences de location de voitures. Adressez-vous à une agence de voyages pour tout billet à tarif réduit ou tout renseignement spécifique.

En train

Le voyage en train via Paris est ultra-rapide: de la gare de Lyon, le TGV vous dépose à Marseille moins de cinq heures après. Il faut réserver. Votre agence de voyages vous informera sur le "tarif séjour".
La correspondance avec le réseau ferroviaire français ne pose aucun problème. Comptez une bonne heure pour le changement à Paris, car vous devrez également changer de gare (métro).
En Provence, le réseau secondaire est pratiquement inexistant. Le trafic est ordinairement assuré par des bus. Les villes et les villages sont desservis par différents bus suivant un horaire régulier. Au cours des mois d'été, de nombreuses excursions en autocar et en bateau sur le Rhône et vers les îles côtières sont organisées. Des voitures de location sont proposées dans les gares en qualité de service "Train & Auto".

Si vous voulez explorer la région tous azimuts, vous avez besoin d'une voiture. Le vélo, le bus et le train sont recommandés pour des trajets plus directs.

La voiture

Si vous descendez dans une station balnéaire uniquement dans le but de jouir de la plage et d'entreprendre l'une ou l'autre excursion dans les environs, vous pouvez vous passer de voiture. Même les touristes qui se limitent à des villes comme Avignon, Arles et Orange, n'ont pas besoin de véhicule. Par contre, si vous prévoyez de parcourir de longs trajets à travers la région, non seulement vous perdrez un temps précieux à dépendre du réseau ténu des transports publics, mais nombre de destinations vous seront inaccessibles.

Quand vous arrivez dans une ville, évitez de stationner dans le centre; les cœurs historiques se visitent très bien à pied. A Avignon, le stationnement est gratuit tout près des ponts historiques, sur le grand parking de la berge.

Les aires de stationnement se divisent généralement en parking couvert payant et parking gratuit (un P blanc sur fond bleu). Il y a en plus une "zone parcmètre" coûtant environ 7 FF-42 BEF la demi-heure. C'est à nouveau gratuit à l'heure du déjeuner, entre 12 et 14 heures. Vous ne manquerez pas de remarquer la fréquence du panneau danger (triangle rouge) avec la mention "rappel": il n'est pas là uniquement pour faire de la figuration!

La bicyclette

Au pays du tour de France, la location d'une bicyclette est relativement facile: on loue des vélos dans les gares et dans certains magasins. L'office de tourisme dispose également d'adresses avec des offres détaillées de vélos de location y compris des VTT avec dérailleurs. Ce vaste choix est cependant restreint dans les villes et dans les lieux de villégiature.

Les voitures de location

Dans les villes, on peut louer une voiture sans difficulté dans les gares ou les aéroports. Plus avantageux sont les forfaits "Rail-and-drive" des chemins de fer français (SNCF) ou "Fly-and-drive" des compagnies d'aviation. Pour plus d'informations, rendez-vous directement à l'**office de tourisme** ou au **syndicat d'initiative** sur place.

Les transports publics

Dans les villes comme Avignon, Aix ou Marseille, les services de bus sont les plus commodes. Il faut composter son ticket dans la machine prévue à cet effet. Marseille est au demeurant la seule cité provençale à posséder un métro. Les principales gares pour vacanciers sont la gare centrale (gare Saint-Charles) et le Vieux-Port. La plage est aisément accessible en métro ou en bus (voir Sports et plages, p. 31). Etant donné qu'en Provence il n'y a que des trains de grandes lignes, des bus régionaux assurent les liaisons avec les petites villes. Les billets sont en vente à la gare routière, les tabacs (enseigne: carotte rouge) ou auprès des chauffeurs de bus. La ponctualité n'étant pas toujours de mise, armez-vous de patience.

Les taxis

Dans les villes, les stations de taxis sont bien en vue à la sortie des gares ou dans des emplacements centraux. Dans certains cas, un coup de téléphone suffit. A Marseille, on peut demander des taxis avec chauffeurs multilingues. Eurotaxi: tél. 04 91 97 12 12.

A la campagne, on a des chances de trouver un taxi près de la poste, sur la place où l'on joue aux boules ou en face du café central.

Les bateaux

Dans une région riche en rivières, canaux et belles côtes, les promenades détentes en bateau sont à recommander. Contactez les offices de tourisme pour tout renseignement sur la location de bateaux. Aucun permis n'est requis pour naviguer sur les eaux intérieures, mais il faut connaître la signalisation et les règlements. Dans les ports, les promenades en mer sont signalées au moyen de panneaux sur les embarcadères.

STOP

Un petit train parcourt les centres de quelques villes de Provence comme **Arles**, **Avignon** et **Marseille** pour soulager les pieds fatigués des touristes qui visitent la vieille ville. Ces trains nostalgiques qui relient les principales curiosités traversent carrément les places et les trottoirs (à la grande joie des enfants!), donnant ainsi une impression animée de l'atmosphère de la ville. De courts trajets ne coûtent que quelques francs. Les groupes peuvent louer ce type de véhicule pour des tours de ville plus complets. A Marseille, le **petit train de la plage** assure même la navette entre le Vieux Port et le rond-point de David Plage à la plage.

La Provence dispose de logements magnifiques et luxueux. La beauté des paysages et la gentillesse des Provençaux feront de vos vacances un souvenir inoubliable.

En Provence au cœur de l'été, il n'y a rien d'exceptionnel à trouver une piscine ou un jardin ombragé dans un hôtel, parce que, au plus fort de la chaleur, c'est le seul endroit supportable à l'extérieur, à moins d'avoir une plage à proximité.

Les hôtels sont divisés en quatre catégories, allant de une à quatre étoiles. Les tarifs doivent être affichés bien en vue dans le hall. Les hôtels deux étoiles sont les plus nombreux. Par rapport à la norme européenne, ils offrent un confort moyen. Les prix pour cette catégorie tournent toujours autour de 330 FF-2000 BEF pour une chambre double, hors petit déjeuner. Le petit déjeuner n'est généralement pas inclus dans le prix de la chambre et son prix est assez élevé, eu égard au rapport qualité-prix. Il se compose fréquemment d'une tasse de café et d'un croissant et coûte entre 30 et 35 FF. Il est habituellement plus avantageux de le prendre dans un café.

Les hôtels appartenant à une chaîne comme **Ibis** (classe de prix inférieure à moyenne) par exemple, implantés près de nœuds autoroutiers et offrant en règle générale un très grand buffet au petit déjeuner, sont ordinairement la formule idéale pour les nuits de passage. Ils ne peuvent bien sûr rivaliser avec le charme des nombreuses petites pensions joliment situées. D'autre part, on voit souvent des panneaux de signalisation portant l'indication **chambre d'hôte** ou **table d'hôte**. Il s'agit de logements chez des particuliers avec un petit nombre de chambres. Dans le premier cas, on vous propose une chambre avec petit déjeuner pour un prix raisonnable. La table d'hôte prévoit aussi les repas (pour 50 FF-300 BEF environ). Le **tourisme vert**, les **gîtes d'étape** ou **gîtes de groupes** s'adressent aux personnes en quête d'un hébergement plus simple. Les guides correspondants sont disponibles à l'office français du tourisme.

Fédération nationale des gîtes ruraux de France
35, rue Godot-de-Mauroy
75439 Paris Cedex 09
Tél. 01/49 70 75 75

Agriculture et tourisme

La chaîne des Logis de France, sous contrôle public, consiste majoritairement en hôtels familiaux petits à moyens à une ou deux étoiles. Ces établissements

se situent le plus souvent en milieu rural et proposent un confort soumis à un contrôle régulier. Il vaut la peine de consulter (gratuitement à l'office français du tourisme) le guide de cette "hôtellerie à visage humain". Il est conseillé de demander confirmation des prix à la réservation. Il en va de même pour les guides des **gîtes de France**.
9, av. George-V
75008 Paris
Tél. 01/7 23 55 40

Locations de vacances

L'idéal pour un séjour prolongé en famille: les maisons de vacances, les appartements chez des particuliers à la ferme ou dans des domaines viticoles avec château, généralement bien équipés, souvent avec cuisine. Leur recherche dans les petites annonces de même que leur réservation se font de préférence longtemps avant les vacances. La location a lieu par semaine entière, le jour d'arrivée étant le samedi. Comme partout, les prix sont élevés en haute saison et parfois très intéressants hors saison.
Les hôtels des diverses localités sont décrits au chapitre "Villes et villages pittoresques".

Classes de prix
Les prix s'entendent pour une nuitée en chambre double, petit déjeuner non compris.
Classe de luxe: à partir de 1 100 FF
Classe de prix élevée: à partir de 600 FF
Classe de prix moyenne: à partir de 330 FF
Classe de prix inférieure: jusqu'à 330 FF

STOP

Pour être directement à la source de la table provençale, une seule adresse: l'exploitation agricole d'un **viticulteur** qui, pour compléter ses ressources, est également aubergiste. Il vous servira des spécialités telles que l'omelette aux truffes, le lièvre à la crème, le canard aux olives, arrosées de divers crus. L'hébergement est souvent très confortable, car beaucoup de viticulteurs louent des chambres d'hôtes. Le prix du menu varie entre 60 et 120 FF. Les chambres sont comparables à la norme des gîtes d'étape (classe de prix inférieure). Vous obtiendrez la liste de ces fermes-auberges auprès de la Chambre départementale d'agriculture du Vaucluse, ferme-auberge, tourisme rural; Cantarel, B.P. 734, 84034 Avignon Cedex, tél. 04 90 23 65 65, fax 23 65 40.

La cuisine provençale n'est pas raffinée, mais authentique. La plupart des spécialités sont des plats du terroir aux parfums d'herbes.

Toutes les herbes aux fragrances aromatiques qui bordent le chemin ne semblent poursuivre qu'un seul but, développer leur parfum dans la poêle ou la cocotte: thym, basilic, origan, sauge, romarin, fenouil, marjolaine pour ne citer que celles-là. Outre les herbes, l'ail frais et doux occupe une place importante dans la ratatouille provençale, un mélange de différents légumes: aubergines, poivrons, tomates, oignons, courgettes. Un filet d'huile d'olive vierge, du poivre, du sel et des ingrédients particuliers au cuisinier, et le plat est terminé. La saveur individuelle des "produits" ne doit jamais être affectée par les herbes ou par une cuisson trop prolongée. C'est tout le secret de la cuisine provençale. D'autres condiments comme le clou de girofle, la noix de muscade et la truffe ne sont pas exclus.

Toutes sortes de légumes

Les recettes de légumes sont majoritaires sur la liste des plats

Les restaurants simples servent souvent des plats délicieux.

internationaux. On répertorie plus de 70 préparations différentes, quelle variété! Autrefois, elles constituaient pourtant l'ordinaire des familles pauvres de journaliers qui se pressaient autour d'une table peu garnie, dans l'obscurité de leur cabane isolée, comme **Jean Giono** les a décrits. Un plat rustique a déjà un goût de mets plus substantiel et plus raffiné. Pour une **daube de bœuf** ou une **daube de gardian**, on fait braiser du bœuf dans une cocotte (daubière) avec beaucoup de vin, des épices, de l'ail et une bonne dose d'huile d'olive. La viande ne joue pas un aussi grand rôle dans la cuisine provençale que dans la grande cuisine française. On y trouve de l'agneau, du mouton, de la volaille et, en moindre quantité, du gibier.

Le poisson dans tous ses apprêts

Le nec plus ultra de la cuisine provençale, c'est le poisson. Une succulente recette traditionnelle, la **bourride**, est une soupe de poissons blancs chers, comme la lotte ou le loup. On verse la soupe sur du pain blanc et les morceaux de poisson sont servis à part. La bourride s'accompagne de l'**aïoli**. Cette pâte blanche crémeuse, qui est l'âme de nombreux mets, est une mayonnaise à l'huile d'olive, parfumée à l'ail. Le **grand aïoli** est un grand plat de légumes agrémentés de morue, d'œufs durs et d'aïoli. On peut difficilement s'imaginer que par le passé on mangeait ce plat les jours maigres. La forme plus usuelle de la bourride est la **bouillabaisse**, préparée à l'origine avec des déchets de poissons, mais affinée dans les bons restaurants par des poissons nobles. Le bouillon s'enrichit de légumes tels que poireaux, tomates, oignons, ail et d'un filet d'huile d'olive. Des tranches de pain grillé tartinées de **rouille** flottent à la surface de la soupe. La rouille, une mayonnaise aillée, doit son goût piquant à des petits piments finement moulus. Là aussi, les poissons sont servis à part.

D'autres spécialités de la mer comme les huîtres, les crustacés et les mollusques se dégustent surtout dans le port de Marseille, mais aussi sur la côte et dans les bons restaurants des grandes villes.

Un bon menu a son prix

En Provence comme ailleurs, il faut compter de 130 à 160 FF-780 à 960 BEF, sans les boissons, pour un menu digne de ce nom. Dans cet ordre de prix, le menu comportera le plus souvent quatre ou cinq plats.

Le menu de midi est moins cher, et l'avantageux plat du jour est parfois excellent. En outre, nombre de restaurants proposent des menus touristiques à prix modiques, de qualité généralement médiocre à moyenne. Le repas du soir (dîner) est servi habituellement de 19 h 30 à 21

VIVRE EN PROVENCE

heures. Rien ne vous empêche de prendre l'apéritif avant dans un bar quelconque. Les Français ont une prédilection pour le **pastis**, une liqueur anisée allongée d'eau pour donner un liquide jaunâtre.

Quels vins choisir pour accompagner le menu? Le rosé est assurément un vin estival qui s'accorde avec la plupart des plats provençaux. Le **tavel** du Rhône a souvent la préférence, mais un rosé des Coteaux d'Aix ou un Côte de Provence sont tout aussi délicieux. La dégustation de poissons blancs, d'huîtres, de coquillages et crustacés s'accompagne de vin blanc. Le vin de Cassis est remarquable, mais les vins d'Aix ou les Côtes de Provence sont également à recommander. Le vin rouge se boit avec de la viande, une **daube de bœuf** par exemple. A l'apéritif, faites donc connaissance avec la **tapenade**: une pâte relevée à base d'olives noires, d'huile d'olive, de câpres, d'anchois et de moutarde. On l'étale sur des tranches de baguette. En dessert, on a le choix entre des fruits, des gâteaux, de la glace ou du fromage. Laissez-vous tenter par le **fromage de la région** qui convient parfaitement à l'environnement rural.

Si le restaurateur recommande un dessert en particulier, soyez assuré qu'il s'agit d'une de ses créations.

Les restaurants de chaque localité sont décrits au chapitre "Villes et villages pittoresques".

Classes de prix

Les prix s'entendent pour un menu au restaurant, boissons non comprises.
Classe de luxe: à partir de 350 FF
Classe de prix élevée: jusqu'à 350 FF
Classe de prix moyenne: jusqu'à 200 FF
Classe de prix inférieure: jusqu'à 100 FF

STOP

Un restaurant de gare de première catégorie? Bien sûr, l'**Hiély-Lucullus** propose dans un cadre agréable une excellente cuisine française à un prix raisonnable. Spécialités de poissons, mais aussi de volaille délicate comme le pigeonneau, la bécasse et le canard. Ce restaurant est situé au centre-ville, dans l'artère commerçante d'Avignon, à quelques minutes à peine de la place de l'Horloge et de la rue des Palais. Compte tenu de son succès, il va de soi qu'il est archicomplet tous les soirs. Il est donc prudent de réserver. 5, rue de la République, Avignon. Tél. 04 90 86 17 07, fermé ma, classe de prix moyenne à classe de luxe. ■ C2

Les vins

Les Grecs les premiers ont cultivé la vigne en Provence, sur les collines qui entourent Massalia; la basse vallée du Rhône a aussi été initiée très tôt à la viticulture. Au Moyen Age, la renommée des vins de Provence reposait, avant que le roi René n'encourage la vinification en rosé, sur ses vins rouges, réputés francs et corsés.

Ravagé par la crise du phylloxéra, le vignoble provençal s'est à nouveau épanoui après 1918. Depuis une vingtaine d'années, il progresse franchement en qualité, grâce à une sélection rigoureuse et une association parfois très complexe des cépages (treize dans le Châteauneuf-du-Pape!).

L'assemblage de plusieurs cépages au sein d'un même cru caractérise la Provence. Elle répond au souci de prévenir les excès climatiques, comme la sécheresse éventuellement accentuée par le mistral, qui rendent aléatoires en certaines circonstances la maturation du raisin.

Aux cépages méditerranéens français se sont au fil du temps joints des transplants espagnols ou italiens. Mais la médaille a son revers: les qualités du vin peuvent manquer de constance, et les possibilités de conservation se montrer incertaines.

Les vins rosés à la robe chatoyante, agréables et fruités, identifiés au soleil et aux vacances, jouissent d'une grande faveur. Profitant pleinement de l'introduction du procédé de vinification par saignée, ils sont de mieux en mieux équilibrés, recèlent un riche bouquet et délivrent beaucoup de fraîcheur en bouche, surtout lorsqu'ils sont bus très jeunes.

Les vins blancs, généralement secs, au bouquet également fin, accompagnent à merveille la dégustation des poissons et coquillages.

Olives à l'huile avec ail et épices – un régal

Les vins rouges, en constante amélioration, sont d'une grande variété: généreux et corsés ou souples et délicats suivant leur provenance.

Sur la rive droite du Rhône, **Tavel** offre un vin rosé limpide, du "soleil en flacon" (Ronsard) gouleyant à souhait; **Lirac** , un vin rouge ou rosé, fin et assez corsé; les **Costières de Nîmes,** un rouge élégant et puissant sans excès. Près d'Aigues-Mortes, le **Listel** est un vin rosé des sables. Sur la rive gauche, le **Châteauneuf-du-Pape**, chaud, étoffé, est l'un des grands crus de l'appellation **Côtes du Rhône**. **Gigondas** et Vacqueyras produisent des rouges charpentés. Rasteau est principalement connu pour ses vins doux naturels, comme **Beaumes-de-Venise** qui livre un Muscat célèbre.

En Basse Provence, sur les collines, **Cassis** est surtout renommé pour son vin blanc sec, riche en arômes floraux, mais le rouge, velouté, est aussi remarquable. Aux portes d'Aix-en-Provence, le petit vignoble de **Palette** se signale avant tout par un rouge suave, tanique, parfois qualifié de "bordeaux de la Provence". Les **Coteaux d'Aix-en-Provence** donnent en particulier des rouges chaleureux, solides. L'appellation **Côtes de Provence** enfin a pour porte-drapeau ses vins rosés.

Les herbes de Provence

Fragrances des jardins, senteurs des marchés, saveurs des mets, cultivées ou spontanément issues de la garrigue, elles constituent au même titre que l'ail et l'huile d'olive les fondements de la cuisine provençale et sont inséparables du "savoir vivre" de cette région marquée par la magie de leur alchimie: **sarriette** ou "pèbre d'ase" (poivre d'âne) dont sont parfumés certains fromages de chèvre et de brebis; **thym** (ou farigoule) et **laurier** mêlés à ces légumes (tomates, aubergines, courgettes, poivrons, oignons) qui composent la populaire ratatouille ou associés aux grillades et rôtis; **basilic** qui pilé avec de l'ail, de l'huile d'olive et parfois du lard ou du parmesan entre dans la préparation du célèbre pistou; **sauge** dont les feuilles claires et veloutées mises à bouillir avec de l'ail donnent le traditionnel "aigo boulido" enrichi seulement d'huile d'olive et de tranches de pain; **romarin** qui assaisonne superbement les gratins de légumes, le poisson au four et, pris en infusion, facilite la digestion; **serpolet**, surtout apprécié dans la recette du lapin de garenne mais qui relève aussi agréablement la soupe de légumes et tous les plats à la tomate; baies de **genévrier**, irremplaçable aromate pour les farces de pâtés et les gibiers, les grives en particulier; **marjolaine** qui agrémente les civets; **estragon** relevant les sauces blanches; **fenouil** au goût anisé, accompagnant à merveille les plats de poisson...

Autant d'ingrédients qui, selon le génie culinaire de chacun, confèrent sa personnalité à cette cuisine frugale mais si prodigue d'arômes qui caractérise la Provence.

Spécialités

Parmi les nombreuses spécialités provençales, nous ne retiendrons que les plus connues: à Marseille, les pieds-paquets, sorte de tripes; à Arles, les saucissons; en Camargue, le bœuf "gardian" (daube accommodée avec des aromates); à Avignon, les melons confits et les papalines; à Aix, les calissons, petits fours à la pâte d'amande; à Carpentras, les berlingots; à Nîmes, la brandade de morue, les caladons, gâteaux secs aux amandes, et le croquant Villaret; à Tarascon, les tartarinades, bonbons au chocolat; à Apt, les fruits confits; à Sault, le nougat; à Nyons, les olives noires et le pain de Modane (pain fendu aux fruits confits).

Les vins de Provence, méconnus à tort

23

Vivre en Provence

Les cadeaux entretiennent les souvenirs. Une branche d'olivier, un pampre de vigne ou une bouteille de vin. Mais pourquoi ne pas rentrer avec l'odeur de la lavande?

Qu'est-ce qui est typiquement provençal? En tout cas, c'est une chose méditerranéenne aux teintes chaudes et douces. La céramique baigne dans le rouge doré, l'ocre ou le brun. Le bois travaillé est celui de l'olivier ou du pin. Les étoffes font songer à des **dessins** indiens. C'est là l'origine des **indiennes**, ces tissus de coton légers copiés dans des ateliers du pays sur le modèle de tissus importés des Indes orientales. Ce commerce fut interdit au XVIIIe siècle par le gouvernement français par mesure de protection de leurs propres manufactures.

Les indiennes imprimées, à la main à l'origine, de motifs d'oiseaux exotiques, de fleurs, de petites cornes d'abondance incurvées, servent depuis longtemps à confectionner les corsages provençaux, les amples jupes plissées, les chemises d'homme à la mode. Mais ce n'est pas tout: on peut conférer à toute la maison une touche élégante de rusticité folklorique. Ce style de décor provençal est autant en vogue à Paris qu'aux

La céramique provençale aux couleurs vives

24

Etats-Unis, à en croire du moins les revues d'art et décoration.

Rayons de soleil et parfums

Le centre de la décoration intérieure provençale est **Souléïado** (rayon de soleil en provençal), une chaîne de magasins qui trouve sa source à **Tarascon**. Ce qui débuta avec des indiennes, se poursuivit avec toutes sortes de tissus d'ameublement, puis avec du linge et des services de table, des meubles, des plateaux et des ustensiles en cuivre et en laiton, des ornements en fer forgé, des accessoires et de jolis bibelots. Les boutiques de la chaîne sont présentes dans une dizaine de lieux, de Marseille à Arles, d'Avignon à Vaison-la-Romaine. **Les Olivades** sont une autre chaîne similaire. Mais n'en oublions pas pour autant les petits détaillants.

Les produits régionaux typiques sont caractérisés par l'odeur de la lavande. La lavande est le symbole de la Provence: parfums, savons, essences et huiles cosmétiques, sachets de lavande pour paniers à linge (censés éloigner les mites), bouquets séchés décoratifs et bien d'autres encore. Pour faire le plein de son inimitable couleur bleue, il faut emprunter la route de la lavande qui va de Manosque à Forcalquier. Si vous voulez rapporter un bouquet, demandez au propriétaire du champ. Dans le même ordre d'idées, les bouquets, les sachets ou les bouteilles d'épices, et les étuvées d'ail n'en sont pas moins caractéristiques de la région. On en trouve de toutes les sortes sur les marchés. L'artisanat jouit d'une longue tradition, mais se trouve redynamisé, notamment grâce au tourisme. On a repris la fabrication des **santons** (figurines de crèche profanes inspirées de modèles du XIXe siècle), des faïences et des poteries, à **Aubagne** par exemple. C'est sur son célèbre marché d'été (juillet/août) qu'ils sont vendus en compagnie d'antiquités et de bric-à-brac. Les marchés hebdomadaires sont d'ailleurs la première source d'approvisionnement des Provençaux. Les plus connus sont ceux d'Aix, d'Apt, d'Arles, de Carpentras, de L'Isle-sur-la-Sorgue, d'Orange, de Saint-Rémy-de-Provence et de Vaison-la-Romaine.

Délices régionaux

L'**huile vierge extra de première pression à froid** est l'un des produits régionaux les plus divins que l'on peut acheter au marché. Elle est très bon marché comparée à celle vendue dans nos épiceries fines. La ville de **Nyons** dans la douce **vallée de l'Eygues** s'est créé une solide réputation dans ce domaine. Les truffes, le miel d'herbes, la confiture de fruits entiers, les melons confits ou les châtaignes et le nougat, la confiserie de **Montélimar**, il faut tout goûter. Parmi les spécialités, citons surtout les **calissons** d'**Aix**, les **berlingots** (caramels) de **Car-**

VIVRE EN PROVENCE

pentras, les **tartarinades** (bonbons au chocolat) de **Tarascon**. Le **pavé romain** (un petit gâteau) et les **navettes** de **Marseille** notamment, qui figurent également sur la carte des desserts sont à l'origine des pâtisseries.

Les fromages sont légion. Des bocaux avec des fromages de chèvre ou de brebis conservés dans l'huile sont vendus comme souvenirs.

Les experts distinguent quelque 60 grands crus. Les vins de Provence et de la vallée du Rhône ont à nouveau bonne réputation. Mais il vaut toujours mieux les déguster sur place. Les chaudes soirées d'été, on boit même glacé le vin rouge quand il est jeune (!). Le rouge le plus illustre est le **châteauneuf-du-pape** corsé. Le **gigondas** est apprécié pour sa rondeur, le **ventoux** pour sa saveur de terroir. Le **tavel**, le lirac, le **listel** (vin des sables de Camargue) sont des rosés équilibrés. Le **cassis** est un vin blanc riche de traditions et d'arômes floraux. Tout au long des **routes des vins** aussi bien que sur les marchés, vous êtes invité, sans obligation d'achat, à la **dégustation** des crus régionaux.

Heures d'ouverture

L'heure du déjeuner est sacrée (sauf dans les grands **supermarchés**). Elle va ordinairement de 12 à 14 heures, mais elle peut commencer une heure plus tôt ou finir une heure plus tard. Les commerces ouvrent entre 8 et 9 heures pour fermer à 19 heures (même le samedi), les supermarchés ferment à 21 ou 22 heures. On peut acheter du pain et des produits d'alimentation le dimanche matin. En compensation, les magasins ferment le lundi matin et, à la campagne, les boulangers et les bouchers sont fermés toute la journée.

STOP

A côté de la **faïencerie**, il existait déjà à la Renaissance des poteries bon marché destinées à l'usage quotidien. A **Moustiers-Sainte-Marie**, les deux catégories se distinguent aujourd'hui encore par leur bleu étincelant. De nouveaux ateliers virent le jour, qui perpétuèrent les vieilles traditions. Les superbes copies des œuvres inestimables de **Clarissy, Olérys, Ferrat, Fouque** et **Féraud**, exposées au musée local, coûtent jusqu'à 2 000 FF. Des assiettes fleuries originales sont proposées à partir de 130 FF. Atelier J.-M. V. Fine, pl. de l'Eglise, 04360 Moustiers-Sainte-Marie. Tél. 04 92 74 66 50

La Provence offre aux sportifs des possibilités aussi variées que la physionomie du pays: natation, rafting, randonnée, tourisme équestre, escalade...

Voici une dizaine d'années, seul le littoral permettait aux pratiquants de sports nautiques d'exercer leur activité. Actuellement, le **grand canyon du Verdon** est devenu un paradis pour amateurs d'émotions fortes et de jeunes Neptunes aguerris. La nouvelle coqueluche, c'est le rafting: il s'agit, avec un équipage costaud, de descendre des rapides en canot pneumatique. Par le passé, la descente du Gardon en kayak était un événement, alors que maintenant, ils sont déjà nombreux à parcourir le dangereux Verdon. Au-dessus de leurs têtes, des grimpeurs sont suspendus comme à des fils de toile d'araignée aux falaises abruptes. On dénombre quelque 2 000 sorties par an. Mais les fanatiques de la varappe ont aussi découvert depuis belle lurette les falaises des **Calanques** et des **Dentelles de Montmirail**.

Cyclotourisme, golf, surf

De simples randonneurs de montagne que l'on croise sur les pentes du **mont Ventoux**, quoi de plus banal? En revanche, une randonnée nocturne à la lueur des torches allie romantisme et pièges imprévus.

Là où le sentier traverse la route, on risque d'être surpris par un groupe de cyclistes surgis du petit matin. Outre les chemins fatigants de montagne, il y a les sentiers de la plaine de Camargue qui évoquent des promenades dominicales.

Pour les uns, c'est l'appel de la montagne, pour les autres, celui de la mer: la baignade, la voile, le surf – volant avec le mistral – le canotage, la navigation de plaisance. Si vous aspirez au calme, la plongée ou des promenades le long de la côte dans la lumière dorée sont plus indiquées.

Ce ne sont pas les bons clubs équestres ou les bonnes écuries qui manquent en Provence, d'autant que la Camargue est le pays des **gardians**. Même les débutants peuvent visiter le monde des marais, des prés, des étangs et des lagunes à la faveur d'une **promenade à cheval**.

Les golfeurs aussi se sentent bien sur les greens provençaux. Mais le vrai sport national, c'est la pétanque. Chaque joueur a trois boules en fer qu'il jette le plus près possible d'une petite boule de bois (le cochonnet). C'est un sport convivial qui, chaque soir, fait s'attrouper des curieux sur quasi chaque promenade.

VIVRE EN PROVENCE

Pêche en eau douce

Pour pratiquer la pêche, il faut une autorisation ou un permis. Les lacs et les rivières de Haute-Provence attirent beaucoup de pêcheurs, tout comme les cours d'eau du Vaucluse, telle la Sorgue à Le Thor. Points de vente de permis de pêche

A Avignon:
- M. Masson-Richard
19, rue Florence
- Claude Roumajon
87, av. Saint-Ruf

A Le Thor:
-Michel Marin
"L'Arc-en-Ciel"
1, cours Victor-Hugo

Pêche en eau douce en Haute-Provence

Fédération départementale des associations de pêche et de pisciculture
79, bd. Gassendi/B.P. 9
04000 Digne
Tél. 04 92 31 57 14

Golf

Golf-Club de Châteaublanc

Parcours international de 18 trous; parcours d'entraînement et leçons. Morières-Châteaublanc (près d'Avignon)
Tél. 04 90 33 39 08
Fax 04 90 33 43 24

Golf Club Digne

18 trous.
Saint-Pierre de Gaubert
04000 Digne-les-Bains
Tél. 04 90 72 17 19

Golf Saint-Ange

18 trous, tout près du centre.
45, chemin des Anémones
13012 Marseille
Tél. 04 91 89 91 88

Golf Center

Location, leçons et entraînement.
84110 Vaison-la-Romaine
Tél. 04 90 36 35 19 54

Escalade

Ecole française d'escalade

50, rue Carnot
84000 Avignon
Tél. 04 90 85 61 45

A. Charmetant

Cours d'escalade dans les Dentelles de Montmirail.
84110 Lafare
Tél. 04 90 66 50 28

Faire de l'escalade dans les canyons de Provence

Comité départemental de la montagne et de l'escalade
Associations de Haute-Provence pour alpinistes amateurs et confirmés.
3, bd. du Temps-Perdu
04100 Manosque
Tél. 04 92 72 39 40

Bicyclette

On peut louer ce moyen de transport le plus populaire pour les loisirs dans toutes les gares. Les offices de tourisme sur place fournissent tout renseignement sur les sorties accompagnées.

Equitation

Le tourisme équestre est très pratiqué en Provence.
En suivant les panneaux **club hippique, école d'équitation** ou **poney-club**, on est vite à destination.
Les sorties accompagnées et les leçons coûtent 50-60 FF l'heure; les promenades à dos de poney pour enfants 25 FF la demi-heure.

Centres équestres populaires:
Bruno Rouan
Promenades accompagnées.
Col Pointu
84480 Bonnieux
Tél. 04 90 04 72 01

Club hippique Marseille-Allauch
60 chevaux, 20 poneys.
Campagne La Louise
13190 La Pounche-Allauch
Tél. 04 91 68 07 38

Ecole d'équitation d'Aubagne
40 chevaux, 20 poneys; randonnées de groupe (max. 20 pers.).
Route de Gémenos
13400 Aubagne
Tél. 04 42 82 33 79

Voile

Les bateaux se louent à Marseille et dans tous les ports de plaisance des stations balnéaires.

Yachting Club de la Pointe-Rouge
Port de la Pointe-Rouge
13008 Marseille
Tél. 04 91 73 06 75

Société nautique de La Ciotat
Ecole de voile pour adultes et enfants.
Av. Wilson
13600 La Ciotat
Tél. 04 42 71 67 82

Surf

Toute la côte est un paradis pour surfeurs. De l'avis des connaisseurs, la **plage de Bonnegrace** de Six-Fours-les-Plages à côté de Sanary est l'une des meilleures plages à surf de la Méditerranée française.

Plongée sous-marine

Le centre de ce sport subaquatique est Marseille.
Renseignements
Comité départemental de sports sous-marins
38, rue des Roches
12007 Marseille
Tél. 04 91 52 55 20

Tennis

On peut disputer un match dans presque tous les complexes de vacances ou les hôtels d'un certain standing.

Randonnée

La Provence est accessible au moyen d'une multitude de **sentiers de**

VIVRE EN PROVENCE

Grande Randonnée. Quatre seulement sillonnent le cœur de la région: le GR 4 (**Vivarais-Ventoux**), le GR 6 (**Gard-Alpilles-Luberon**), le GR 9 (**Ventoux-plateau de Vaucluse-Luberon-Sainte-Victoire-Sainte-Baume**) et le GR 40 (**vallée du Rhône**). A côté des GR existent des sentiers de petite randonnée. Sans compter les sentiers aménagés en de nombreux sites touristiques.
Vous trouverez tout renseignement dans les offices de tourisme. Des topo-guides sont également disponibles un peu partout.

Rafting/canoë/kayak

C.D. du tourisme des Alpes de Haute-Provence
Informations sur les sports en eaux vives et les descentes en canot.
19, rue du Docteur-Honorat
04005 Digne-les-Bains Cedex
Tél. 04 92 31 57 29

Carnet de Route
Parcours en kayak le long de la côte vers les **Calanques** et les îles.
1121, Pas de la Mule
13170 Les Pennes-Mirabeau
Tél. 04 42 02 55 36
Prix adultes: 240 FF
Couples: 400 FF; enfants: 100 FF

Plages

On recense 360 plages dont le choix dépend généralement de l'éloignement ou du coût du transport. Mais il y en a pour tous les goûts.

Bandol   ■ F6
Station balnéaire avec baies (plages de sable) et île.
Sports nautiques.

Calanques   ■ D6/E6
Stations balnéaires situées dans des criques entourées de falaises abruptes entre Marseille et Cassis. Elles sont accessibles en bateau de Marseille ou Cassis ou bien par des sentiers difficiles dont le tracé figure sur toute carte. Avantage: l'environnement naturel est magnifique. Inconvénient: s'il y a foule, les départs sont problématiques.

Cassis   ■ E6
Une station balnéaire à vocation maritime en expansion.
L'infrastructure gastronomique aux restaurants variés est parfaite.
Mais les mois d'été, ce n'est pas l'endroit rêvé si vous recherchez la solitude.

Un tour à cheval dans le paysage envoûtant des hivers provençaux

La Ciotat ■ E6

En basse saison, dégage une robuste atmosphère marine. Mais la plage de sable fait trop songer à une piscine de plein air.

Marseille ■ D5/E6

Cette ville portuaire possède une série de plages toutes différentes.

Plages Gaston Defferre

Situées dans l'enceinte du parc Borély, elles disposent de sauveteurs (comme sur toutes les plages publiques), de possibilités de restauration simple, de sanitaires, de douches et d'équipements de jeu et de sport.

Plage du Roucas Blanc

Plage de sable et de galets. Corniche J. F. -Kennedy

Plage du David

Plage de galets. Av. Pierre-Mendès-France

Plage Borély

Plage de galets. Possibilité de surf. Av. Pierre-Mendès-France

Plage Bonneviene

Plage de galets; aire de jeux, ski nautique, parapente. Av. Pierre Mendès-France

Plage de la Vieille Chapelle

Plage de galets, plaine de jeux pour enfants.

Accès aux plages ci-dessus: métro Castellane L1 + bus 19 ou métro rond-point du Prado + bus 19 ou bus 83 à partir du Vieux Port.

Plage de l'Espiguette ■ A5

Une longue plage de sable merveilleuse à l'est de Grau-du-Roi. La distance à parcourir est parfois grande, en fonction du lieu de séjour. Durant les week-ends d'été, on tombe sur un bouchon de 5-10 kilomètres avant d'arriver. Avantage: en semaine, situation idyllique en prise directe avec la nature sur fond de dunes. Il y a aussi une plage réservée aux nudistes.

TOPTEN 4

Salin-de-Giraud ■ C5

Indiqué sur les cartes sous le nom de **plage de Piémanson**. Une superbe plage longue de près de 25 kilomètres avec des dunes basses. Difficilement accessible en voiture.

Les Stes-Maries-de-la-Mer ■ B5

A l'est et à l'ouest de ce lieu de pèlerinage s'étendent environ 20 kilomètres de plage de sable. L'accès vers l'est aux sections moins bruyantes n'est cependant pas aisé. Vers l'ouest, il y a beaucoup de monde presque tous les jours. Le sable est agréable, l'entrée dans l'eau sans problème.

STOP

Aller l'hiver en Provence? Oui, pour **skier sur le mont Ventoux!** La station de sports d'hiver du sommet dispose de pistes et de parcours à une altitude de 1 400-1 912 mètres. Logement, école de ski, location, "terrain de jeux de neige" sont inclus dans les forfaits. Chalet d'accueil du mont Ventoux; tél. 04 90 63 49 44 ■ D1

Les Provençaux affectionnent les fêtes traditionnelles, folkloriques et les férias. Mais les festivals modernes attirent également un public enthousiaste.

Avril
Féria pascale
Spectacles taurins avec mise à mort.
Arles

Fête du printemps avec corso fleuri
Nyons
Pâques, di-lu

Mai/juin
Fête des gardians de Camargue
Avec marché annuel, bénédiction des chevaux et combats de taureaux.
Arles
1er mai

Procession des Gitans
Fascinante manifestation folklorique de Saintes-Maries-de-la-Mer: tous les ans, les 24 et 25 mai, les Gitans viennent du monde entier en pèlerinage pour honorer Sarah, leur sainte patronne. Après l'office, les Gitans promènent sa statue couverte en procession jusqu'à la mer, escortés par des gardians à cheval.
24 et 25 mai

Féria de la Pentecôte
Joutes taurines espagnoles et provençales.
Nîmes
De la Pentecôte à septembre

Fête populaire historique
Fête du Petit-Saint-Jean.
Valréas
23 juin

Fête de la Tarasque, le monstre du Rhône
Défilé folklorique, réception de Tartarin, corridas.
Tarascon
Dernier week-end de juin

Juillet
Festival
Ballet, musique, opéra, théâtre.
Arles
Fin juillet/début août

Fête de la Saint-Eloi
Course de taureaux.
Châteaurenard

Festival de la Sorgue
Musique, théâtre, danse.
Fontaine-de-Vaucluse, L'Isle-sur-la-Sorgue, Langes, Saumane, Le Thor
Début juillet/mi-août

Festival international de musique
Classique, opéra, jazz.
Aix-en-Provence
Deuxième quinzaine de juillet

Festival de folklore mondial
Programme important avec des groupes de tous les pays; festival spécial pour les enfants.
Martigues
Fin du mois

Festival folklorique international
Soirées théâtrales au parc Borély.
Marseille
Deuxième quinzaine de juillet

Chorégies
Opéras, concerts symphoniques et soirées de chant lyrique au Théâtre antique.
Orange
Deuxième quinzaine de juillet

Festival international d'art dramatique et festival off
Théâtre, théâtre de rue, concerts, danse.
Avignon
Juillet/août

Festival international de jazz
Grandes manifestations dans l'amphithéâtre.
Nîmes
Troisième semaine de juillet

Festival international de jazz
Concerts au château et dans les rues.
Salon-de-Provence
Juillet/août

Août
Pèlerinage/Fête de Notre-Dame-de-la-Garde
Les pèlerins venus du monde entier vénèrent la Mater dolorosa.
Marseille
15 août

Festival provençal
Et fête vigneronne.
Séguret
Troisième week-end d'août

Septembre
Féria des vendanges
Nîmes
Dernier week-end de septembre

Le pèlerinage des Gitans aux Saintes-Maries-de-la-Mer

Octobre
Procession à la plage
Bénédiction de la mer.
Saintes-Maries-de-la-Mer
Après le 22 octobre

Décembre
Messe de minuit provençale
Avec pastorale et offrande de l'agneau dans l'abbaye de Saint-Michel-de-Frigolet.
Allauch, Les Baux, Fontvieille, Sainte-Baume, Séguret
24 décembre

Une ville dont on tombe facilement amoureux! Sous des airs de vieille dame distinguée, elle déborde de fraîcheur et de vitalité.

Aix-en-Provence
■ E4

Presque impossible d'échapper au charme du Vieil Aix. Dans la **cathédrale Saint-Sauveur**, le visiteur découvre soudain un baptistère du Ve siècle entouré de huit colonnes romaines.

Le nom de la ville tire son origine de la période expansionniste de l'Empire romain républicain. Les citoyens de la colonie grecque de **Massalia** (Marseille) avaient appelé Rome à l'aide contre les attaques de la confédération celto-ligure des **Salyens** (Salluvii en latin) qui occupaient la Basse-Provence. Leur alliance avec douze tribus voisines en faisait une menace sérieuse. **C. Sextius Calvinus** détruisit leur base, l'oppidum d'Entremont, et aux abords des ruines, installa un camp retranché en 122 avant J.-C. D'après des documents anciens, les vainqueurs restèrent en terrain conquis. Les Salyens, dont l'ultime rébellion fut réprimée par **Jules César**, subsistèrent dans le nom d'origine d'Aix-en-Provence: **Aquae Sextiae Salluviorem**.

Les Romains sauvèrent leur province gauloise, lorsque leur **consul Marius** écrasa les Teutons, un peuple germanique, en 101 avant J.-C.

La plaine fertile de l'Arc aurait enchanté même les empereurs. C'est actuellement une vallée plantée de vignes, d'oliviers et

Le pavillon de Vendôme de style baroque
était le nid d'amour d'un cardinal.

d'amandiers. **Aix**, d'Aqua (eau), renvoie aujourd'hui comme hier à la présence de sources thermales. L'adjonction du nom de Sextius rappelle que ce sont les Romains qui ont découvert l'action bienfaisante des bains chauds. On y traite pour l'heure les affections circulatoires.

Le "bon roi René"

A la différence d'Arles ou d'Orange, la ville ne possède pas de vestiges antiques. Le Vieil Aix apparaît au visiteur comme un ensemble architectural quasi intact des XVIIe/XVIIIe siècles. Promue capitale du comté de Provence au Moyen Age, Aix fut au XVe siècle la ville de résidence du "bon roi René" d'Anjou (1409-1480) durant les neuf dernières années de sa vie. Bien qu'ayant perdu son royaume de Naples, il fut un mécène des arts et sut embellir sa ville d'Aix. Elle devint le siège du parlement de la province de 1501 à la Révolution française. Mais le roi de France resta souverain. Tandis que les Provençaux étaient écrasés sous les impôts votés par ce parlement, les 70 palais, châteaux, villas et splendides hôtels particuliers donnaient à Aix ce caractère d'élégance raffinée qui est propre à la ville.

La ville se distingue par ses rangées de maisons compactes qui encerclent son cœur: au centre se dresse la **mairie** avec sa belle place et son campanile. Un deuxième point d'attraction: la **cathédrale** avec son **palais épiscopal** et la vieille université.

Palais aristocratiques et hôtels particuliers

Aix est enserrée par des boulevards et des avenues circulaires ombragés de platanes, tracés sur l'emplacement des anciens remparts. Le **cours Mirabeau** (XVIIe siècle), une splendide avenue bordée de chaque côté par des palais aristocratiques et des hôtels particuliers des XVIIe et XVIIIe siècles non moins imposants, traverse la section méridionale du plan quasi circulaire de la ville. Le **quartier sud**, formé de quadrilatères, fut créé en 1646-1651 par l'**archevêque Michel Mazarin**, frère de l'illustre cardinal et principal ministre de Louis XIV. De nos jours, la majorité des 150 000 Aixois habite en dehors des ex-remparts, dans des quartiers partiellement neufs.

VILLES ET VILLAGES PITTORESQUES

Hôtels et logements

Augustins

Hôtel élégant installé dans l'ancien couvent des Grands-Augustins près du cours Mirabeau.
3, rue de la Masse
Tél. 04 42 27 28 59
Fax 04 42 26 74 87
29 chambres
Classe de prix élevée

Mas d'Entremont

Hôtel situé dans un parc, jouissant d'un environnement calme et d'un bon restaurant, avec tennis.
Montée d'Avignon (à 3 km par la N 7 en direction d'Avignon)
Tél. 04 42 23 45 32
Fax 04 42 21 15 83
9 chambres, 8 bungalows
Classe de prix élevée

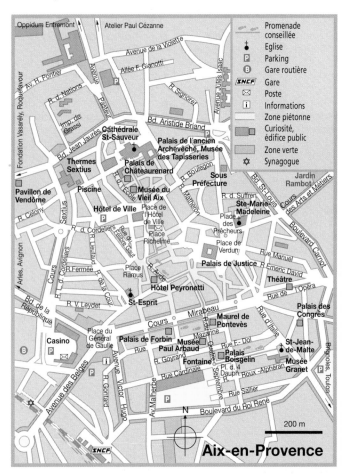

Mercure Paul Cézanne
Auberge de luxe sympathique aux environs du quartier Mazarin.
40, av. Victor-Hugo (près de la gare)
Tél. 04 42 26 34 73
Fax 04 42 27 20 95
44 chambres
Classe de prix élevée

Nègre Coste
Hôtel coquet situé sur l'avenue la plus populaire et la plus prestigieuse.
33, cours Mirabeau
Tél. 04 42 27 74 22
Fax 04 42 26 80 93
36 chambres
Classe de prix moyenne

Le Pigonnet
Hôtel possédant un superbe jardin, une piscine et un restaurant de classe de prix moyenne à élevée.
5, av. du Pigonnet
Tél. 04 42 59 02 90
Fax 04 42 59 47 77
50 chambres
Classe de prix élevée/de luxe

Le Prieuré
Hôtel romantique installé dans un ancien couvent aux chambres confortables, aux fenêtres ouvrant sur les jardins du pavillon Lenfant.
Rte de Sisteron, 3 km avant Aix.
Tél. 04 42 21 05 23
23 chambres
Classe de prix moyenne

Quatre-Dauphins
Hôtel aménagé avec goût dans le style provençal, situé dans une demeure historique. Près de la fontaine du même nom et du quartier Mazarin.
54, rue Roux-Alphéran
Tél. 04 42 38 16 39
Fax 04 42 38 60 19
12 chambres
Classe de prix moyenne

Saint-Christophe
Hôtel de charme près de la Rotonde, avec terrasse ensoleillée. "Brasserie Léopold" de style parisien. (Menus à partir de 100 FF.)
2, av. Victor-Hugo
Tél. 04 42 26 01 24
Fax 04 42 38 53 17
57 chambres
Classe de prix moyenne

Villa Gallici
Villa provençale très sympathique et luxueusement aménagée à la superbe décoration de style italien du XVIIIe et aux petits salons. Belle piscine, jardin enchanteur avec terrasse. Recommandé pour son cadre et sa situation calme.
Dans les environs se trouve le fameux restaurant "Le Clos de la Violette" (voir Restaurants, p. 42).
7, av. de la Violette
Tél. 04 42 23 29 23
Fax 04 42 96 30 45
14 chambres, 3 suites
Classe de luxe

Promenade

Les atlantes du portail de l'hôtel de **Maurel de Pontevès** (au n°38, datant de 1650), sur l'artère fréquentée qu'est le cours Mirabeau, semblent sourire aux passants. C'est une des plus belles avenues de France. Elle porte le nom de **Honoré Gabriel de Riqueti comte de Mirabeau**, impliqué dans un scandale. Elu par le tiers état d'Aix, il plaida vigoureusement au parlement révolutionnaire en faveur d'une monarchie constitutionnelle. Si on l'avait écouté, l'histoire aurait suivi un cours différent. C'est pourquoi aucune statue n'est dédiée à Mirabeau, mais bien au "bon roi René" à qui la ville doit ses embellissements.

VILLES ET VILLAGES PITTORESQUES

Un cadre enchanteur: le cours
Mirabeau à l'ombre des platanes

En partant de la **Rotonde** avec sa grande fontaine, officiellement **place du Général de Gaulle**, on s'engage dans le tunnel de verdure d'une avenue à quatre voies ombragées de platanes et agrémentée de trois autres fontaines. On passe devant des cafés, des restaurants de toutes catégories, des terrasses, des magasins élégants, des librairies, des boutiques de souvenirs. Le **cinéma** répondant au nom de "Renoir" est une bonne adresse. Sur le côté droit se dressent le noble **palais d'Isoard de Vauvenargues** (au n°10) et le **palais de Forbin** (au n°20) où vivait la haute noblesse. Des petits éventaires occupent le bord des trottoirs: on y vend tour à tour des antiquités, du vin ou des produits régionaux. Ce qui frappe, c'est le nombre de jeunes: depuis 1409, Aix possède une université qui fait partie de la faculté d'Aix-Marseille. En prenant la **rue Clémenceau** (à

hauteur de la fontaine d'eau thermale couverte de mousse), on débouche sur la **place d'Albertas** avec ses belles façades (XVIIIe siècle). Dans la **rue Aude**, qui mène à l'hôtel de ville, s'élève le bâtiment Renaissance de l'**hôtel Peyronetti** (au n°13; construit en 1620), particulièrement remarquable, tout comme les atlantes et les statues d'angle de l'**hôtel d'Arbaud** en face de la **place Richelme**. Elle accueille chaque matin un marché. Un peu plus loin, vos pas vous conduisent à la **place de l'Hôtel de Ville**, vaste mais sereine. Des terrasses gastronomiques à l'ombre des platanes, au centre une fontaine à colonnades, l'hôtel de ville et son drapeau tricolore, la décorative tour de l'Horloge (XVIe siècle, anciennement un beffroi) avec sa cloche en cage, et bien entendu, des musiciens de rues talentueux font le charme de cette place. La façade classique de la halle aux Grains (aujourd'hui un bureau de poste) est dominée par un fronton central sculpté représentant le **Grand Rhône** et la **Durance** (Chastel, XVIIIe siècle). L'**hôtel de ville**, érigé entre 1655 et 1670 par l'architecte parisien Pierre Pavillon, a de belles ferronneries et une cour intérieure harmonieuse. En franchissant la porte de la tour de l'Horloge pour suivre la petite **rue Gaston-de-Saporta**, on passe devant le **musée du Vieil Aix** (sur la gauche), installé dans un palais du XVIIe siècle. Il est flanqué du **palais de Châteaurenard** à la cage d'escalier peinte en trompe-l'œil (XVIIe siècle). Un peu plus loin surgit à droite la **place des Martyrs de la Résistance** qui présente l'ensemble le plus imposant de la ville: la **cathédrale Saint-Sauveur**, le **cloître**, l'**archevêché** qui abrite le musée des Tapisseries, et la petite esplanade de l'ancienne université. Le séduisant **quartier Mazarin**, vu de la vieille ville, s'étend de l'autre côté du cours Mirabeau. La **rue du Quatre Septembre** mène le long d'élégantes façades (au n°9, **hôtel de Villeneuve d'Ansouis**) à la **place des Quatre Dauphins** avec la fontaine du même nom (C.-J. Rambot, 1667) et l'**hôtel de Boisgelin** (Pierre Pavillon et Rambot, 1650). Par la **rue Cardinale** à gauche, on rejoint l'église des chevaliers de Malte **Saint-Jean-de-Malte** (fin XIIIe siècle) que symbolise un clocher haut de 63 mètres. La nef avec ses grandes arcades présente la sobre élégance du gothique tardif. Le croisillon nord abrite les tombeaux des comtes de Provence. Le **musée des Beaux-Arts et de l'Archéologie**, baptisé du nom du peintre F.-M. Granet (1775-1849), est installé dans l'ancien prieuré (commanderie) des chevaliers de Malte.

Curiosités

Cathédrale Saint-Sauveur

Avec le cloître (voir Stop ci-dessous) et le palais épiscopal, la cathédrale a formé au fil des siècles un complexe équilibré. Dans la cathédrale, dont le baptistère date du Ve siècle, voisinent tous les styles architecturaux, du roman primitif à la Renaissance tardive. La cathédrale a dû être érigée à partir de 1285 d'après le plan d'une croix latine.

Sur la façade de droite subsiste un pan de mur gallo-romain encastré dans des parties gothiques. Le grand portail somptueux de 1504, aux vantaux en noyer, représente les quatre prophètes et les douze apôtres.

La tour gothique (XIVe/XVe siècles) coiffée d'un clocher comporte deux belles statues anciennes représentant la Vierge à l'Enfant et saint Michel terrassant le dragon. Le triptyque du Buisson ardent (1476), chef-d'œuvre attribué à Nicolas

STOP

Le cloître (vers 1170) de la **cathédrale Saint-Sauveur** est l'un des plus beaux édifices romans de Provence. C'est une merveille de grâce et de légèreté, alliées à une noble élégance. Ce résultat est la conséquence de plusieurs facteurs. Le déambulatoire n'est pas voûté mais couvert d'un toit plat (un peu comme à Arles). Les quatre fois sept colonnettes jumelées supportant les arcades ont toutes des décorations différentes, comme les chapiteaux à feuillages ou historiés. La lumière du jour y pénètre à grands flots: ce ravissant exemple dément gentiment l'idée reçue selon laquelle l'art roman est sombre et triste. ■ **E4**

Froment (1435-1484), tranche avec l'extrême simplicité de la nef. Le "bon roi René" et sa femme Jeanne y sont également immortalisés.
34, pl. des Martyrs-de-la-Résistance, ouvert tous les jours 9 h – 12 h et 14 h – 18 h

Oppidum d'Entremont

Les ruines du centre politique et religieux des Salyens (IVe/IIe siècles avant J.-C.), mis au jour par des archéologues, occupent un plateau au nord d'Aix. On notera les remparts renforcés et l'étendue du site. Il semble que les Romains jugeaient les mœurs salyennes si barbares – des fouilles attestent l'existence d'un culte des crânes – qu'ils ne se contentèrent pas de les soumettre, mais rasèrent la place forte et ses sanctuaires. Le résultat des fouilles remarquables est venu enrichir les collections archéologiques du **musée Granet**. Une visite de l'oppidum vaut aussi la peine pour le paysage grandiose et la vue magnifique (table d'orientation) sur le bassin d'Aix, la montagne Sainte-Victoire, le massif de la Sainte-Baume et la chaîne de l'Etoile.
La route d'Aix est signalée. Empruntez la D 14 sur 2,5 km en direction du nord.
Grand parking, tous les jours, sauf le ma, 9 h – 12 h et 14 h – 18 h, entrée gratuite.

Pavillon de Vendôme

Cette demeure féodale a la réputation d'être le plus beau château baroque de la Provence. On prétend qu'il fut construit par le cardinal-duc de Vendôme pour ses rendez-vous galants avec Lucrèce de Forbin.
L'intérieur est aménagé avec des meubles, des tableaux et des objets d'art qui reflètent la culture domes-

tique du grand siècle.
Tous les jours sauf le ma, 10 h – 12 h et 14 h – 17 h, en été 14 h 30 – 18 h

Thermes Sextius

Un établissement thermal pour le traitement des troubles cardio-vasculaires et un parc public ont été créés non loin des anciens thermes romains (fouilles du musée Granet). La piscine couverte alimentée par une source d'eau chaude est importante pour les touristes d'hiver. Bd. Jean-Jaurès/cours Sextius

Musées

Atelier Paul Cézanne

Cézanne fit bâtir le pavillon des "Lauves" en 1901 après la vente de la propriété familiale Jas de Bouffan, sur le chemin des Lauves (la rue porte aujourd'hui son nom). Après la mort du peintre en 1906, l'atelier fut conservé en l'état. Les sujets de ses natures mortes et ses souvenirs, son attirail de peinture, quelques meubles austères et la vue sur la végétation exubérante du jardin de l'artiste définissent le climat ambiant. Projections de diapositives dans l'annexe.
9, av. Paul-Cézanne
En été, tous les jours sauf ma et jours fériés, 10 h – 12 h et 14 h 30 – 18 h, en hiver 10 h – 12 h et 14 h – 17 h

Fondation Vasarely

Ce centre d'études et d'expositions a pour thème le jeu d'ensemble de la forme, de la couleur, de la lumière et du mouvement, bref: l'art et l'architecture. Il fut fondé par l'artiste d'origine hongroise, **Victor de Vasarely** (né en 1908) qui contribua surtout au développement de l'op-art.

Av. Marcel-Pagnol, Jas de Bouffan
De juillet à août, tous les jours 9 h
30 – 12 h 30 et 14 h – 17 h 30;
fermé le mardi le reste de l'année.

Musée Paul Arbaud

Le musée situé au cœur du quartier
Mazarin présente une belle
collection de faïences anciennes de
Moustiers-Sainte-Marie et de
Marseille ainsi que des peintures et
de nombreux livres. Les objets
exposés proviennent du
collectionneur et mécène Paul
Arbaud.
2a, rue du Quatre Septembre
Tous les jours 14 h – 17 h; fermé di
et jours fériés

Musée Granet-Musée des Beaux-Arts et d'Archéologie

Les riches collections installées dans
l'ancien prieuré des chevaliers de
Malte ont trouvé un lieu digne
d'elles. Le rez-de-chaussée abrite le
produit des fouilles d'Entremont
(IIIe/IIe siècles avant J.-C.). Les sculptures sont inspirées des formes
grecques et étrusques. Sont
également exposées des statues
grecques anciennes et romaines
issues de l'antique Aquae Sextiae et
des effigies paléochrétiennes du
début de l'ère chrétienne. La belle
collection de peintures comprend
notamment des toiles des écoles
française, italienne et hollandaise (à
compter du XVe siècle). L'œuvre du
peintre aixois qui a donné son nom
au musée, F.-M. Granet (1775-
1849), est bien représentée.
Nonobstant le fait que les Aixois
vénèrent mondialement Cézanne
comme l'un des pères de la peinture moderne, la salle qui lui est consacrée ne présente sobrement que
huit tableaux prêtés par Paris. Ces
œuvres, dont une toile de la propriété paternelle **Jas de Bouffan**,
sont de petits bijoux.
Paul Cézanne est né à Aix le 19
janvier 1839. Il y a vécu par
intermittence depuis 1887 environ
et y a surtout peint des paysages.
Le maître s'est éteint le 22 octobre
1906 dans sa résidence aixoise, rue

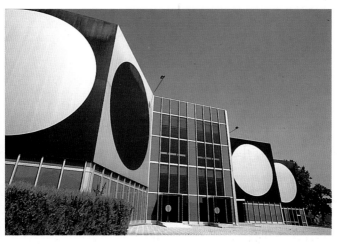

Victor Vasarely a trouvé en Provence des sources d'inspiration.

Boulegon.
Pl. Saint-Jean-de-Malte
Tous les jours sauf en juil. et en
août 10 h – 12 h et 14 h – 18 h,
fermé ma

Musée des Tapisseries

Ce musée expose des tapisseries
rares de l'époque baroque et
rococo figurant des pastorales et
des fêtes campagnardes, mais aussi
des motifs floraux et des animaux
(de Beauvais).
A remarquer un cycle des aventures
de don Quichotte. Egalement des
meubles et des tableaux
(XVIIe/XVIIIe siècles).
Ancien Archevêché.
28, pl. des Martyrs-de-la-Résistance
Tous les jours sauf ma, 10 h – 12 h
et 14 h – 17 h 45

Musée du Vieil Aix

Installé dans un hôtel du XVIIe
siècle, il présente l'histoire de la
noblesse liée à la ville ainsi que
l'histoire, les us et les coutumes
d'Aix et des environs. Ce musée est
aussi connu pour sa collection de
"santons", personnages de crèches
représentant des types et des corps
de métier provençaux.
17, rue Gaston-de-Saporta
Tous les jours sauf lu, 10 h – 12 h
et 14 h 30 – 18 h en été; 10 h –
12 h et 14 h – 17 h en hiver

Restaurants

Aix propose une riche palette de
lieux où se restaurer, de la pizzeria
au restaurant de luxe. A cause des
étudiants, les établissements
modestes pratiquent des prix
modérés.
Les restaurants asiatiques aux prix
intéressants se concentrent autour
de la place Ramus. Les vins provençaux sont partout.

Les Bacchanales

Cuisine satisfaisante et légère à prix
honnêtes.
10, rue de la Couronne
Tél. 04 42 27 21 06
Fermé le di
Classe de prix moyenne

La Brocherie

Bons plats de poissons servis dans
une ambiance rustique.
5, rue Fernand-Dol
Tél. 04 42 38 33 21
Ferme le di
Classe de prix moyenne

Le Clos de la Violette

Lieu de rassemblement des amateurs de cuisine délicate et créative,
car cet élégant établissement au
jardin ombragé possède une étoile
Michelin.
10, av. de la Violette
Tél. 04 42 23 30 71
Fermé le di et le lu matin
Classe de prix élevée à classe de
luxe

Les Deux Garçons

Ce restaurant fondé en 1792, que
les habitués nomment les "2 G",
est l'un des lieux de rendez-vous les
plus populaires.
C'est là que viennent aussi les
artistes des festivals. Pourtant, la
vaste terrasse du cours Mirabeau (il
n'y a pas de meilleure adresse) à
l'ombre des platanes confère à ce
restaurant un caractère très accueillant. Dehors, sous les frondaisons,
on prend le petit déjeuner, du café,
du thé glacé ou un verre en
fonction de l'heure, ou l'excellent
plat du jour. L'intérieur est
élégamment aménagé dans le style
Empire. En hiver, on y vient pour
écouter du jazz. La carte a des
accents provençaux. Parmi les
spécialités: le tartare de saumon et
le gigot d'agneau.

Service impeccable.
53, cours Mirabeau
Tél. 04 42 26 00 51
Ouvert tous les jours
Classe de prix moyenne à élevée

Le Mazarin
Avec sa grande terrasse sur le cours
Mirabeau, c'est l'endroit idéal pour
la pause café ou manger un
morceau, mais aussi pour faire un
repas simple.
13, cours Mirabeau
Classe de prix inférieure à moyenne

Le Nautille
Rien que le nom annonce la
couleur: spécialités de poissons,
mollusques, crustacés, etc.
fraîchement pêchés et préparés à la
provençale.
5, rue de Félibre-Gaut
Tél. 04 42 27 53 55
Fermé le di midi et en hiver le me
Classe de prix moyenne

Achats

Confiserie
La spécialité d'Aix sont les
calissons. Ces friandises sont faites
à base de pâte d'amandes et de
fruits. A goûter absolument.
Calissons Léonard Parli
35, av. Victor-Hugo
Ma-sa 8 h – 12 h, 14 h – 19 h,
di 14 h – 19 h

Marchés
Marché aux fleurs
Pl. de l'Hôtel-de-Ville
Ma, je, sa matin
Pl. des Prêcheurs
Di seulement le matin

Marché aux puces
Pl. de Verdun
Ma, je, sa

Marché hebdomadaire
Pl. Richelme
Tous les jours même les jours fériés
Pl. des Prêcheurs
Uniquement le di matin

Le café des "Deux Garçons" dont la popularité ne s'est jamais démentie

VILLES ET VILLAGES PITTORESQUES

Spécialités provençales
Ce vaste magasin offre tout ce qui est lié de près ou de loin au **style provençal**: vêtements, tissus, services, linge de table, meubles, santons et céramique. Le choix très étendu est joliment présenté. A noter surtout les faïences d'art de Moustiers.
Au petit Bonheur
16bis, rue d'Italie
Ma-sa 9 h – 12 h
et 14 h – 18 h 45

Le soir

Festival d'Aix
Les festivals de juillet, composés d'ensembles et de solistes internationaux, ont bonne réputation. Au programme figurent opéras, concerts, soirées lyriques et poétiques. Dans la cour intérieure de l'ancien archevêché, dans la cathédrale, le cloître et l'hôtel de Maynier d'Oppède.
Renseignements et réservations:
Bureau du festival
Palais de l'ancien archevêché

Tél. 04 42 17 34 34
Fax 04 42 96 12 61
Tous les jours, sauf di, 9 h – 13 h et 14 h – 19 h

Services

Informations
Office de tourisme
Bon service multilingue. Egalement informations et réservations dans le cadre des festivals d'Aix.
2, pl. du Général-de-Gaulle (la Rotonde)
13100 Aix-en-Provence
Tél. 04 42 16 11 61
Fax 04 42 16 11 62
Tous les jours 8 h – 19 h; de juil. au 15 sept. jusqu'à 22 h

Lieu de rencontre des jeunes
Maison des jeunes et de la culture
Bellegarde
37, bd. Aristide-Briand
Jacques Prévert
24, bd. de la République

Taxis
Tél. 04 42 26 29 30

STOP

Château de l'Empéri. Entouré d'armes et de mannequins en uniformes, le visiteur a vue sur le château impérial. Ce musée rassemble une collection unique de livres sur l'histoire de l'armée française depuis le règne de Louis XIV à la Première Guerre mondiale. Des mannequins en uniformes jouent les soldats. Le château (XIIe/XVe siècles) est l'un des édifices militaires les plus imposants de Provence. Pl. Farrayroux, Salon-de-Provence, tél. 04 90 56 22 36, du 15 avril à sept. tous les jours 10 h -12 h et 14 h - 18 h, d'oct. au 15 avril tous les jours 10 h - 12 h et 14 h 30 - 18 h 30, fermé ma et jours fériés. Entrée: 10-15 FF   ■ D4

Excursions

Brignoles ■ F5

Ce bourg typiquement provençal (11 000 habitants) s'ordonne autour de jolies places aux fontaines rafraîchissantes, à l'ombre des platanes. Le palais était la résidence d'été des comtes de Provence. Il accueille aujourd'hui le musée du pays brignolais dont la principale attraction est un sarcophage mystérieux des IIe/IIIe siècles orné de symboles païens ou paléochrétiens. La région est essentiellement agricole (fruits, olives et surtout viticulture), avec également des carrières de pierres et de bauxite.

Hôtel

Mas la Cascade
Auberge joliment aménagée avec jardin et restaurant. A 2,5 km par la D 554 direction Toulon.
83170 Brignoles
Tél. 04 94 69 01 49
Fax 04 94 69 07 17
10 chambres
Classe de prix moyenne

Roquefavour ■ D4

Quand l'ingénieur de Montricher dut réaliser la canalisation de Marseille au-dessus de la vallée de l'Arc, il se sentit mis au défi par les anciens Romains et construisit de 1842 à 1847 l'aqueduc de Roquefavour de 375 mètres de long et 83 mètres de haut, excédant les dimensions du pont du Gard. Après 2 000 ans de progrès technique, d'aucuns n'y verront rien d'extraordinaire. Et pourtant, cet aqueduc est une impressionnante réalisation. Le troisième étage offre un magnifique panorama.

Portrait de Nostradamus dans la vieille ville de Salon-de-Provence

Itinéraire: par la D 64 venant d'Aix, direction Ventabren. Parking près de l'aqueduc, environ 12 km

Salon-de-Provence ■ D4

Cette ville sympathique (36 000 habitants) n'est souvent considérée à tort que comme un nœud autoroutier. Elle est ceinturée d'oliviers qui font ressortir les installations pétrochimiques. Le centre vaut une visite avec l'église Saint-Michel (XIIe/XIIIe siècles) et la collégiale Saint-Laurent (XIVe/XVe siècles) dans la vieille ville animée, aves ses clochers et ses placettes accueillantes. Le personnage célèbre de Salon est le mystérieux prophète **Nostradamus** (1503-1566). Même les gouverneurs vinrent voir ce médecin et astrologue et nombre de ses prédictions se réalisèrent. Aujourd'hui, ses écrits sont de nouveau en vogue.

VILLES ET VILLAGES PITTORESQUES

Hôtel

Angleterre
Hôtel très confortable à prix
raisonnables situé en ville.
88, cours Carnot
Tél. 04 90 56 01 10
Fax 04 90 53 37 41
27 chambres
Classe de prix inférieure à moyenne

Musée

Musée de Nostradamus
Ce petit musée installé dans sa
demeure et le tombeau dans la collégiale Saint-Laurent évoquent le
souvenir de ce singulier prophète.
11, rue Nostradamus
Tél. 04 90 56 64 31
Tous les jours 10 h – 12 h et 14 h
30 – 18 h 30, fermé ma et jours
fériés
Entrée: 6 FF

Restaurant

La Salle à Manger
Ce restaurant se trouve dans un
hôtel particulier aux ravissantes
décorations en stuc, au cœur même
de la cité. La salle brille par
l'élégance de sa décoration. Mais
on préférera la cour intérieure en
été. Cuisine raffinée valorisant la
tradition régionale.
6, rue du Maréchal-Joffre
Tél. 04 90 56 28 01
Fermé lu et ma soir
Classe de prix inférieure (menu du
jour) à moyenne

Service

Informations
Office de tourisme
56, cours Simon
1330 Salon-de-Provence
Tél. 04 90 56 27 60
Fax 04 90 56 77 09

STOP

L e massif très fréquenté d'Aix, la **montagne Sainte-
Victoire,** est rentré dans l'histoire de l'art grâce à **Paul
Cézanne**. Les week-ends, la foule se presse à son sommet, la **Croix de Provence** (996 m). En semaine, l'afflu-
ence est moindre. Pour atteindre le chemin qui y mène depuis
Aix, prendre la "route Cézanne" sur la D 17 via **Le Tholonet**
(9 km env.). L'ascension dure une bonne heure et demie. La
vue, dans un décor tourmenté, est saisissante. Au nord-ouest,
le blanc des calcaires du mont Ventoux (1 909 m) contraste
avec le vert mousse de la chaîne du **Luberon**. ■ E4

Saint-Maximin-la-Sainte-Baume ■ F4

Ce lieu de pèlerinage est consacré à deux saints: sainte Marie-Madeleine et saint Maximin. D'après la légende, ils auraient débarqué sur la côte des Saintes-Maries-de-la-Mer et auraient marché jusque-là. Marie-Madeleine vécut en pénitence dans une grotte, **baoumo** en provençal, d'où Baume. Il faut voir la basilique (XIIIe/XVIe siècles) et son couvent et la crypte avec ses sarcophages gallo-romains (IVe siècle). Le frère cadet de Napoléon, Lucien, sauva la basilique de la destruction par les révolutionnaires jacobins.

Restaurant

Chez Nous
Bonne cuisine, beau jardin.
Bd. Jean-Jaurès
Tél. 04 94 78 02 57
Fermé du 20 déc. au 18 jan. et me
Classe de prix moyenne

Vauvenargues ■ E4

Le château Renaissance fut jadis la demeure de l'écrivain et moraliste **Luc de Clapiers**, marquis de Vauvenargues (1715-1747). Sa notoriété grandit avec **Pablo Picasso** (1881-1973), qui y vécut et y peignit durant les dernières années de son existence. Il est inhumé à sa requête près de la chapelle du château. On ne visite pas le tombeau, à la déception générale des fans du grand maître qui affluent de tous les coins du monde.

Restaurant

Chez le Garde
Cette auberge campagnarde propose une cuisine substantielle dans une chaude ambiance familiale.
Chemin des Plaines (sur la route d'Aix, à 14 km avant Aix)
Tél. 04 42 24 97 99
Fermé lu midi en juil./août
Classe de prix moyenne

Le relief favori de Cézanne, la montagne Sainte-Victoire

La région d'Apt possède deux atouts: ses fruits confits et l'or de ses falaises d'ocre. Des marchés très colorés et surprenants se tiennent dans le vieil Apt.

La ville nichée entre le massif du **Vaucluse** et la chaîne du **Luberon**, deux des plus beaux paysages de Provence, est un bon point de départ pour visiter les environs. Apt, ancienne colonie romaine du nom de **Apta Julia**, se situe dans la vallée du Calavon dans une petite plaine. Mais déjà avant l'époque romaine, une colonie appelée "Hath" s'était installée ici à la croisée de voies d'échanges. Aujourd'hui, le grondement du trafic de passage de la nationale 100 suit l'axe est-ouest formé par le tracé de la rivière. La vieille ville autour de la **cathédrale Sainte-Anne** est caractérisée par des maisons patriciennes du XVIe au XVIIIe siècle. L'éclat d'antan a fait place à l'activité dynamique d'une ville de province typique (11 000 habitants) au cœur du Vaucluse. Elle mérite une visite, surtout le samedi, jour de marché, quand la ville s'anime. On est autant impressionné par l'abondance des produits régionaux que par l'humeur bon enfant des Provençaux, dès qu'ils se trouvent réunis. Les places tranquilles avec leurs fontaines, leurs platanes et leurs terrasses de cafés ou de bistrots sont dans toute la ville des lieux de rencontre informels. Le plus populaire et le plus fréquenté est cependant la **place de la Bouquerie**.

Apt
■ D3

Apt est connu pour l'animation de son marché.

Hôtel

Auberge du Luberon
Près du centre-ville historique (voir
Restaurant, p. 50)
17, quai Léon-Sagy
Tél. 04 90 74 12 50
Fax 04 90 04 79 49
15 chambres
Classe de prix moyenne

Promenade

Le centre historique d'Apt tient sur
une superficie d'à peine 350 mètres
carrés. Rien ne peut donc échapper
à la visite.
Une petite heure suffit pour faire
une agréable promenade avec
pause café. De la bruyante place de
la Bouquerie, la **rue de la
République** vous emmène au cœur
intime de la vieille ville. C'est là que
s'élève sur la place Carnot le **palais
épiscopal** baroque (voir Musées),
l'édifice féodal le plus imposant.
Vous pouvez faire un crochet par
les quais afin de regarder les
pêcheurs. En déambulant dans la
rue de l'Amphithéâtre puis dans
le lacis de ruelles étroites et
pittoresques qui rejoignent la
cathédrale Sainte-Anne, vous ver-
rez de superbes façades et une
porte de ville médiévale, la **porte
de Saignon** (XIVe siècle). Le beau
clocher à flèche (XVIe siècle) sur-
monté d'une horloge typiquement
provençale en fonte est un ancien
beffroi.

Curiosité

Cathédrale Sainte-Anne
L'ancienne cathédrale est le témoin
de la haute estime dont jouissait
Apt au Moyen Age en tant
qu'évêché. La cathédrale mi-
romane, mi-gothique (XIe/XIIe
siècles, transformée jusqu'au XVIIe

siècle), fut le premier sanctuaire de
France où les foules et même la
haute noblesse vinrent en
pèlerinage. Leur but, voir les
reliques de sainte Anne. Il est établi
qu'après son pèlerinage, l'épouse
de Louis XIII, la reine Anne
d'Autriche, fut enceinte du successeur au trône, le futur Roi-Soleil,
qu'elle et la dynastie avaient atten-
du pendant 24 années de mariage.
En signe de gratitude, elle créa la
chapelle royale (1660) où l'on peut
voir le reliquaire-buste de la sainte
et un trésor. Outre le suaire de la
sainte, ce dernier renferme de précieuses châsses de Limoges
(XIIe/XIIIe siècles) ainsi qu'un éten-
dard arabe rapporté par un cheva-
lier de la première croisade (1096-
1099) en Terre sainte.
Les cryptes sont intéressantes. La
crypte inférieure date de l'époque
mérovingienne.
En l'honneur de sainte Anne de
France, un pèlerinage traditionnel a
lieu chaque année le dernier dimanche de juillet.
Tous les jours matin et après-midi,
fermé lu et di après-midi

Musées

Maison du parc du Luberon
La maison du parc naturel régional
du Luberon montre au visiteur la
préhistoire – fresque de paysages
animés avec animaux primitifs – des
environs d'Apt, la vie rurale et le
milieu naturel ainsi que les mesures
de protection de la nature.
Le parc naturel du Luberon, avec
une superficie de 317 hectares, a
été créé en 1977 pour sauvegarder
la flore et la faune uniques de cette
crête boisée.
1, pl. Jean-Jaurès
Juil. à août lu-sa 9 h – 12 h et
14 h – 19 h;

Villes et villages pittoresques

le reste de l'année lu-sa 9 h – 12 h,
14 h – 18 h,
fermé di
Entrée: 70 FF

Musée archéologique/Ancien palais épiscopal

L'ancien palais épiscopal (XVIIIe siècle) sert de musée archéologique, historique local et artisanal. Objets de fouilles préhistoriques, civilisation gallo-romaine et faïences d'Apt.
Pl. Carnot
Tél. 04 90 74 00 34
Juin à fin sept. me-lu 10 h – 12 h et 14 h 30 – 17 h 30; oct. à mai me-ve, lu 14 h 30 – 16 h 30, sa 10 h – 12 h, 14 h 30 – 17 h, di 14 h 30 – 17 h, fermé ma
Entrée: 4,50 FF

Restaurant

Le Luberon

Hôtel-restaurant avec jardin, pour palais exigeants.
17, quai Léon-Sagy
Tél. 04 90 74 12 50
Fermé di soir et lu (sauf juil./août), déc. – janv.
Classe de prix moyenne à élevée

Achats

Faïence d'Apt Jean Faucon

Cette famille perpétue la tradition de la faïencerie depuis six générations déjà. L'atelier est ouvert au public.
12, av. de la Libération
Tél. 04 90 74 15 31
Lu-sa 8 h – 12 h et 14 h – 18 h

Marché de la céramique

Dans la vieille ville
Juil. à août me 8 h – 12 h

Marché hebdomadaire

voir Stop ci-dessous

Service

Informations
Office de tourisme
Pl. de la Bouquerie
Tél. 04 90 74 03 18
Juil. à août tous les jours 9 h – 12 h et 14 h – 19 h 30; le reste de l'année tous les jours 9 h – 12 h, 14 h – 18 h, di et jours fériés 9 h – 12 h

Stop

Marché hebdomadaire d'Apt. A boire et à manger, ce à quoi aspire le cœur provençal, et bien plus encore. Ce marché très animé regorge de toutes sortes de choses, des abricots aux violettes, des fromages de chèvre aux faux Cézanne. Si vous voulez renouveler votre garde-robe ou dénicher un vrai diamant parmi des bijoux fantaisie, vous êtes au bon endroit. On farfouille dans des livres d'enfants ou dans des disques de Piaf et l'on finit peut-être par acheter un casque colonial... La formule combinée marché aux primeurs/marchés aux puces est la plus attractive de la région.

Excursions

Ansouis ■ E3

Du village médiéval, habité par des artistes, émane une atmosphère pittoresque. Le **château d'Ansouis** des comtes et des ducs de Sabran, qui reste aujourd'hui la propriété de la famille, est bâti sur un éperon rocheux. Il fut transformé au XVIIe siècle dans le style Louis XIII, mais certaines parties du château médiéval du XIIe siècle subsistent encore. Il est entouré de jardins suspendus bien entretenus, décorés de pins et de cyprès. La visite du château (40 min.) montre les appartements féodaux et la chambre du couple formé par saint Elzéar et sainte Dauphine de Sabran (1280-1328).
Très intéressante est la cuisine provençale aux cuivres étincelants. Tous les jours 14 h 30 – 18 h (fermé ma en dehors des vacances scolaires)

Forcalquier ■ E2/F2

Le bourg, perché sur un piton entre le Luberon et la montagne de Lure, a l'air inexpugnable. Il subsiste néanmoins des vestiges de fortifications et le couvent fondé en 1236. Le cimetière est l'un des plus beaux du monde.

Hôtel

Auberge Charembeau
Petit hôtel avec piscine dans un cadre enchanteur.
Route de Niozelles
04300 Forcalquier
Tél. 04 92 75 05 69
12 chambres
Classe de prix inférieure à moyenne

Ganagobie ■ F2

Séduisante abbaye bénédictine de style roman où vivent encore des moines. La vue des chemins embrasse un panorama fantastique de la vallée de la Durance.

Des tapisseries murales de Vasarely dans le château de Gordes

VILLES ET VILLAGES PITTORESQUES

Gordes ■ D2/D3

Si Gordes n'est pas le plus bel endroit de la Provence, c'est certainement le plus photographié. Inutile de présenter ce bourg aux chaudes teintes ocrées accroché à la falaise. L'étagement à flanc de rocher est une merveille de la nature. Puis il y a le **château Renaissance** et l'église **Saint-Firmin**, points culminants du village. Gordes est un lieu apprécié des touristes avec ses boutiques, ses échoppes d'artisans, une fontaine et quelques restaurants. Plus d'une ferme des environs se double d'une auberge ou d'un atelier de potier.

Hôtels et logements

Hostellerie des Commandeurs
Petit hôtel privé avec restaurant.
84220 Gordes-Joucas
Tél. 04 90 72 00 05
14 chambres
Fermé me et de janv. à fév.
Classe de prix inférieure

Les Romarins
Installé dans une demeure familiale du XVIIIe siècle soigneusement transformée, cet hôtel possède des chambres confortables et de bon goût. Terrasse ombragée, piscine et vue imprenable.
Sur la route de Sénanque
Tél. 04 90 72 12 13
Fax 04 90 72 13 13
10 chambres
Classe de prix moyenne à élevée

Musée

Musée didactique Victor Vasarely
Le plus célèbre *artist in residence* est Victor Vasarely dont le musée, dans le château, présente les œuvres les plus récentes (voir Aix-en-Provence, p. 40).
Juil. à août tous les jours 10 h – 12 h, 14 h – 18 h, le reste de l'année fermé ma
Entrée: 15 FF

Curiosité

Village des Bories
Des igloos de l'âge de la pierre, comme furent dénommées ces maisons rondes de pierre sèche (les plus récentes sont parfois angulaires). Pourtant, à l'inverse des igloos polaires qui fondaient au soleil, les bories défient toutes les intempéries depuis des siècles. En 1969, à 1,5 kilomètre environ de Gordes, une série de ces habitats de pierre détruits par le maquis ont été restaurés dans le cadre d'un musée d'habitat rural, le **village des Bories**. Ces bâtiments, dont certains sont étonnamment spacieux, dateraient des XIVe et XIXe siècles. Ils furent habités par des familles paysannes jusqu'à la seconde moitié du XIXe siècle. Cette architecture était répandue dans tout le Bassin méditerranéen depuis le néolithique (2 000 avant J.-C.).
Tous les jours de 9 heures au coucher du soleil
A 2 km de Gordes

Abbaye de Sénanque ■ D2

Pour bien des visiteurs, l'abbaye de Sénanque reste l'édifice le plus impressionnant de la Provence. Ascèse, travail, humilité et foi inébranlable étaient les vertus de l'ordre cistercien, qui érigeait en principe le fait de se "retirer du monde". Sous la menace d'une sécularisation par l'Eglise et le clergé, le monachisme développa une force spirituelle de renouveau que l'on perçoit toujours dans cette abbaye sobre et dépouillée mais irréprochable, au bout de ce vallon dans son écrin parfumé de lavande. Avec Silvacane et le Thoronet, Sénanque est la plus belles des trois sœurs provençales cisterciennes et, de surcroît, une perle de l'art roman occidental.
En venant de Gordes, à 3 km environ sur la D 117. Egalement accessible par un sentier.
Juil. à août 10 h – 12 h et 14 h – 19 h, fermé di matin; le reste de l'année 10 h – 12 h et 14 h – 18 h, en janv. uniquement les week-ends
Entrée: 14 FF

Le Luberon ■ D3/E3

Une chaîne de montagnes couchée d'ouest en est comme un pain allongé, traversée de vallons (combes) et de profonds ravins: voilà le Luberon. Là où le couvert des versants se fait moins dense commencent la vigne et la culture maraîchère, avec des jardins ici et là. Beaucoup de villages sont à l'abandon. Le Luberon a attiré des artistes, des intellectuels et des écrivains qui sont venus y vivre ou y passer l'été. Le prix Nobel Albert Camus (1913-1960) possédait une maison à **Lourmarin** et est enterré dans le cimetière du village. Le château Renaissance (1540) accueille de jeunes boursiers de l'académie des arts et des sciences d'Aix (visites guidées sauf le ma et de nov. à mars). Parmi d'autres curiosités, le village de **Bonnieux** sur son promontoire, avec ses bories dans les champs, **Lacoste**, dominé par les ruines du château où le marquis de Sade a écrit ses récits qui ont tant fait scandale, et **Ménerbes** avec ses ruelles entrelacées, les ruines de sa citadelle et sa vue magnifique sur la vallée.

Village des Bories montrant l'habitat rural du Moyen Age à l'époque moderne

VILLES ET VILLAGES PITTORESQUES

Hôtel

Hostellerie du Prieuré
Un hôtel construit sur un ancien couvent avec un beau jardin où l'on déjeune.
84480 Bonnieux
Tél. 04 90 75 80 78
10 chambres
Fermé de nov. à fév.; le restaurant est fermé ma, me, je midi

Restaurant

Restaurant Le Fournil
Situé sur une jolie place aux terrasses ombragées. Cuisine régionale aux menus appétissants.
5, pl. Carnot
84480 Bonnieux
Tél. 04 90 75 83 62
Fermé lu, me midi et de sept. à Pâques
Classe de prix moyenne

Manosque ■ F3

C'est dans cette ville de la vallée de la Durance que le poète **Jean Giono** (1895-1970) a passé sa vie. La ville et ses habitants ont servi de modèle à ses romans, comme dans la pièce filmée *La femme du boulanger*. Giono a beaucoup lutté pour la préservation des monuments de la vieille ville. La **porte Saunerie** (sud), l'église **Notre-Dame-de-Romigier** (à 1,5 kilomètre environ de Gordes, XVIe siècle) et son sarcophage de marbre (IVe siècle) surtout méritent un coup d'œil. Aux alentours de la Grande rue, on trouve également une animation urbaine, en particulier le samedi, jour de marché. L'église **Saint-Pancrace** offre un panorama fabuleux.

Service

Informations
Office de tourisme
Pl. du Docteur-Joubert
Tél. 04 92 72 16 00
Tous les jours de juil. à sept. lu-sa 9 h – 12 h et 14 h – 18 h, di 10 h – 12 h, le reste de l'année fermé sa après-midi et di

Les carrières d'ocre ■ D2

Il existe deux paysages d'ocre aux environs d'Apt: **Roussillon** (près de Gordes) au nord-ouest et le colorado de **Rustrel** au nord-est. Beau comme une symphonie de couleurs contrastées, du jaune vif au rouge chaud, transcendée par le vert des forêts et le bleu des montagnes, mais aussi par des formes déchiquetées, tel est le colorado. La promenade aller et retour au départ du parking dure 3 heures. Les carrières d'ocre du "val des Fées" près de Roussillon sont cependant plus faciles d'accès. On les aperçoit déjà depuis la D 4. Samuel Beckett a vécu à Roussillon comme travailleur agricole pendant la Seconde Guerre mondiale. Il y a écrit un roman et c'est probablement là que lui est venue l'idée de sa pièce *En attendant Godot*.

Oppède-le-Vieux ■ D3

Un village impressionnant, haut perché, avec d'élégantes demeures Renaissance et les ruines d'un château évoquant une page noire de l'histoire de la Provence: c'est là que vécut un certain baron Maynier d'Oppède, qui en 1545 reçut mission de François Ier et du parlement d'Aix de mener une campagne d'extermination contre les Vaudois, partisans d'un mouvement laïque puriste. Il mit le feu à des dizaines de châteaux et de villages du Luberon, comme Cadenet, Lourmarin, Ménerbes et Mérindol, provoquant la mort atroce de 2 000 personnes. Le vrai motif de ce massacre aurait été un amour non partagé.

Pont Julien ■ D3

Un brillant témoin de l'art architectural romain: le pont de pierres massif mais aux jolies formes du Ier siècle mesure 70 mètres de long et 4,25 mètres de large. Il enjambe le Calavon à quelque 7 kilomètres à l'ouest d'Apt (près de la N 100).

Sisteron ■ F1

Sisteron est une étape sur la route Napoléon qui descend vers le Midi. On peut y découvrir une charmante vieille ville avec la cathédrale Notre-Dame (XIIe siècle) et des maisons des XVIe et XVIIe siècles. La citadelle (XIe/XVIe siècles) surplombe vaillamment le ravin où se rejoignent la **Buech** et la **Durance**. On y monte par une route partant de la place de la République. Le théâtre en plein air est mis à contribution lors du festival d'été (du 15 juil. au 1er août).

Hôtel/Restaurant

La Bonne Etape
Cet hôtel joliment aménagé dispose d'un jardin et d'une piscine. Son restaurant, une étoile au Michelin, est l'une des meilleures tables de Haute-Provence.
Chemin du Lac
Tél. 04 92 64 00 09
Fax 04 92 64 37 36
11 chambres, 7 appartements
Fermé di soir et lu (sauf en été)
Hôtel-restaurant de classe de prix élevée à classe de luxe

Les superbes jeux de couleurs des carrières d'ocre de Roussillon

La Rome de la Gaule pour les uns, la ville de Van Gogh pour les autres, Arles symbolise également la tradition de la Camargue.

Arles est active et animée. La ville offre du pain et des jeux (dans les arènes), elle est accueillante. Mais si vous flânez dans les ruelles tranquilles de la vieille ville jusqu'aux berges du Rhône, vous ressentirez le charme d'une ville où il fait "bon vivre", une parenthèse dans le cours de l'histoire. Arles n'était pourtant pas destinée longtemps à être un îlot de paix et la ville-musée, appréciée dans le monde entier, est le résultat de deux siècles et demi environ de bouleverse-

Arles
■ B4

ments. Arlaith, l'endroit "des marécages" des peuples celto-ligures, prit le nom latin d'**Arelate** à l'époque romaine. Il ne restait rien des comptoirs grecs. Mais les Romains avaient des vues stratégiques: il s'agissait pour eux de garantir leur route vers l'Espagne qui traverse le Rhône. Le consul Marius fit construire par ses légionnaires le canal du Rhône, enjambé par le célèbre pont-levis de Van Gogh. Après avoir conquis Marseille en 49 avant J.-C., César fit d'Arles

Le Théâtre antique, témoin de la splendeur passée

56

un port rival prospère. L'économie gauloise s'y concentre avec des liaisons maritimes vers l'Italie, l'Espagne, l'Afrique et l'Asie Mineure. Devenue colonie des vétérans de sa 6e légion, Arles prend le nom de Colonia Julia Paterna Arelate Sextanorum. Enceinte fortifiée, théâtre, arène, cirque, arc de triomphe, bref tout ce qui caractérise une cité romaine, voit le jour.

La ville de pèlerinage

L'arrivée de l'empereur Constantin (280-337) coïncide avec un tournant historique. Premier chrétien sur le trône romain, il s'installe à Arles qui devient la métropole chrétienne. La ville est élevée au rang de lieu de pèlerinage après l'inhumation aux **Alyscamps** de saint Honorat, saint Genès et saint Césair.
Chute de Rome, migrations, invasions barbares: les portes s'ouvrirent devant des troupes de toutes origines, Wisigoths, Vandales, Sarrasins, Francs, Arabes et de nouveau les Francs. La ville retrouve une certaine stabilité avec la fondation de l'Empire carolingien. L'empereur Barberousse se fit couronner roi d'Arelate à Saint-Trophime tout comme l'empereur Charles IV 200 ans plus tard. Arles fut un temps la capitale de la Bourgogne et l'enjeu de luttes dynastiques. Ce n'est qu'après la mise

en valeur de son riche passé et la découverte des monuments romains que la ville a retrouvé un certain éclat.

400 peintures

Depuis un siècle, les projecteurs sont braqués sur l'art arlésien grâce à un martyr mondialement connu: **Vincent Van Gogh** (1853-1890). Certains disent qu'il s'est sacrifié sur l'autel de la peinture moderne, d'autres avancent que le soleil ardent, le "diable du Midi" a affecté sa raison. Sa période arlésienne, de février 1888 à mai 1889, vit la production de 400 œuvres. Elles furent vendues plus tard pour les sommes les plus élevées jamais payées pour des peintures modernes. Mais le pauvre "fou aux cheveux roux" ne vendit personnellement aucune de ses toiles. Son modeste toit, la maison jaune, fut rasé par un bombardement lors de la dernière guerre. Arles ne possède aucun tableau du maître, ni même un musée Van Gogh à l'image de celui d'Amsterdam.
L'avènement du chemin de fer porta un coup fatal à la navigation fluviale. Arles ne fut plus que le marché agricole de la Camargue et de la Crau. La riziculture, l'industrie chimique et métallurgique, la papeterie et la cartonnerie sans oublier le tourisme sont les piliers économiques de la ville.

VILLES ET VILLAGES PITTORESQUES

Hôtels et logements

D'Arlatan

Noblesse oblige: l'ancien palais des comtes d'Arlatan (XVe/XVIIe siècles) possède des chambres confortables, aménagées avec classe. La cour intérieure fleurie où l'on sert le petit déjeuner a un charme fou.
26, rue du Sauvage (près du forum)
Tél. 04 90 93 56 66
Fax 04 90 49 68 45
30 chambres, 11 appartements
Classe de prix élevée à classe de luxe

Le Cloître

Hôtel d'atmosphère dont les chambres sont à l'arrière avec vue sur Saint-Trophime et le cloître.
18, rue du Cloître
Tél. 04 90 96 29 50
Fax 04 90 96 02 88
33 chambres
Classe de prix inférieure à moyenne

Forum

Hôtel confortable avec piscine.
Pl. du Forum
Tél. 04 90 93 48 95

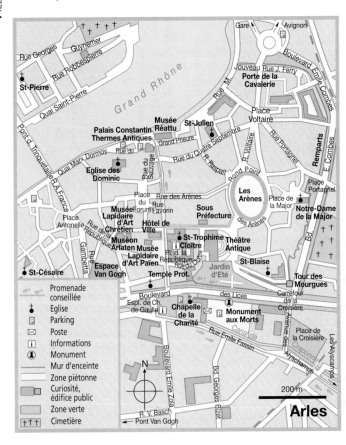

Fax 04 90 93 90 00
45 chambres
Classe de prix moyenne à élevée

Ibis
Comme tous les hôtels de la chaîne Ibis, celui-ci est également implanté dans la verdure, à l'extérieur de la ville. Pour les gens de passage, il est parfaitement équipé d'un restaurant, d'une terrasse et d'une piscine.
Centre commercial Foucheron Arles-Sud (à env. 1 km du centre)
Tél. 04 90 93 16 74
Fax 04 90 44 02 01
91 chambres
Classe de prix moyenne

Camping Le Gardian
Il y a un snack-bar, une piscine, un terrain ombragé et des emplacements pour caravanes.
Raphèle-lès-Arles (sur la RN 453)
Tél. 04 90 98 46 51

Auberge de Jeunesse
Avec restaurant.
Rue du Maréchal-Foch
Tél. 04 90 96 18 25
100 lits

Promenade

En suivant le sigle "i", on arrive au bureau de l'office de tourisme du **boulevard des Lices**, où restaurants et hôtels se succèdent sur un bon kilomètre. Les parkings sont payants (parcmètres). Le parking gratuit se trouve sur le boulevard Emile-Combes (tourner à gauche à la tour des Mourgues). De là, les **Alyscamps** sont à une douzaine de minutes à pied. (Fermé de 12 h 15 à 14 h.)
De cette nécropole historique, on revient à la tour des Mourgues. Là

commence le beau **jardin d'Eté**, un parc ombragé avec des bancs aux environs du Théâtre antique. Au bout du parc se dresse une stèle de bronze de Van Gogh; le portrait de l'artiste n'est pas beau, mais imposant.
En face de l'office de tourisme, une ruelle étroite conduit à la vaste **place de la République**, place de l'hôtel de ville avec l'obélisque que César rapporta de sa campagne égyptienne (et son idylle avec Cléopâtre). **Saint-Trophime** est tout proche avec son cloître et divers musées.
La ruelle de gauche passée la cathédrale mène au **Théâtre antique** et à l'**amphithéâtre**. Par les rues étroites du Vieil Arles, on rallie les **thermes de Constantin**, le **musée Réattu** et les berges du Rhône pour s'asseoir à l'une des terrasses des nombreux restaurants avec vue sur le fleuve, et regarder le flot des passants.
Durée: environ 2 heures sans visite de musée

Curiosités

Si vous ne vous contentez pas de trois statues et musées, achetez à l'office de tourisme un **billet global** qui coûte 44 FF, 31 FF avec réduction (not. pour les enfants d'âge scolaire, les étudiants, les groupes à partir de 15 personnes). Les billets individuels coûtent 12 à 15 FF, 7 à 9 FF avec réduction, les expositions respectivement 20 et 12 FF.
Les heures d'ouverture sont généralement de mai à sept. 9 h – 12 h 15 et 14 h – 18 h 45; en avril et oct. jusqu'à 17 h 45; en hiver

jusqu'à 16 h 15; les musées en plein air, Saint-Trophime/cloître jusqu'à 17 h 15

Les Alyscamps
(cimetière historique)
Cette nécropole (IIIe/XIIe siècles) a vu le jour au temps des Romains. Les premiers chrétiens gallo-romains ont continué à l'utiliser, transformant les temples en chapelles. Après l'inhumation des premiers saints, un tombeau dans ces "champs élysées" équivalait à un passeport pour le paradis. Au Moyen Age, on rapporte que les cercueils des fidèles étaient expédiés de très loin au fil du Rhône avec dedans une pièce d'or pour être inhumé aux Alyscamps. Pêcheur de cadavre, fossoyeur et gardien de cimetière étaient des métiers convoités. Résultat: une nécropole de tombes et de sarcophages empilés sur plusieurs niveaux encercle la ville des vivants. La nécropole actuelle n'est qu'un pâle reflet des Alyscamps d'autre-fois: une allée funèbre bordée de vieux cyprès et formée de sarcophages moussus et de fragments.
Saint-Honorat (XIIe siècle) est l'unique chapelle, mais elle contient de superbes cercueils de marbre. Les Alyscamps ont inspiré des poètes et des peintres tels que Rilke, Van Gogh et Gauguin.

Les Arènes (amphithéâtre)
Arles est appelée la métropole romaine de la Gaule grâce à son amphithéâtre. Ce monument au plan elliptique classique de 136 sur 107 mètres est le plus grand de France. Cet édifice monumental survécut à la rage destructrice du Moyen Age parce qu'il fut transformé en quartier d'habitation. L'amphithéâtre, érigé à la fin du Ier siècle de notre ère servait à la célébration de fêtes religieuses, mais aussi aux combats de gladiateurs et aux jeux du cirque, acclamés ou hués par 21 000 spectateurs. Douze mille personnes peuvent encore prendre place sur les 34 gradins restants, pour venir applaudir des corridas, des courses cyclistes et des films.

Cathédrale Saint-Trophime
La cathédrale est dédiée au saint préféré des Arlésiens: saint Trophime, sans doute un Grec qui, selon la légende, aurait été le premier évêque d'Arles. Historiquement, l'endroit est plutôt

STOP

Sur les traces de Vincent Van Gogh. Qui savait déjà que Van Gogh pouvait peindre le jardin de sa fenêtre? Des visites guidées spéciales nous dévoilent des détails intéressants sur la vie du peintre dans sa période la plus créative. Nous apprenons un peu à voir le paysage à travers ses yeux. Rendez-vous: Office de tourisme, bd. des Lices; du 15 juin au 15 sept., ma et ve à 17 h, durée 2 heures env. 20 FF, 10 FF (prix réduit pour enfants, groupes, etc.)

lié à saint Marcian qui aurait vécu en 275. La cathédrale primitive (XIe, XIIe et XVe siècles), bâtie sur un édifice carolingien, est avec son cloître un des joyaux de l'art roman provençal, sinon français. Le décor sculpté du portail ouest offre aux yeux des fidèles l'histoire de l'humanité du péché originel au Jugement dernier à la manière d'une bible illustrée. Il vaut le coup d'œil, même si Vincent Van Gogh le trouvait aussi cruel et affreux qu'un cauchemar chinois. C'est sans doute vrai pour tous les damnés de la frise du Jugement dernier. Il émane une grande dignité du cloître avec ses deux galeries romanes et ses deux galeries gothiques (XVe siècle).

Espace Van Gogh

La cour bordée d'arcades de l'ancien Hôtel-Dieu et son jardin coloré est familière au visiteur. Il s'agit d'une reconstitution fidèle: Van Gogh a peint ce jardin en mai 1888, et décrivit les espèces florales dans une lettre à sa sœur. Le bâtiment abrite à présent une médiathèque et des salles d'exposition.

Pont de Van Gogh

Mondialement connu par les toiles et les dessins de Van Gogh, c'est le pont-levis de **Langlois** sur le canal d'Arles au port de Fos-sur-Mer. Un peu décrépi, il a survécu malgré tout sous la protection des monuments historiques. (A 2,5 km au sud d'Arles.)

Théâtre antique

Ce théâtre ayant été construit dans le style de l'empereur Auguste à la fin du Ier siècle de notre ère, l'imagination doit suppléer aux lacunes présentées par son piteux état. Il a un diamètre de 102 mè-

tres, sur les 27 arcades du portique qui entouraient le vaste espace, il ne reste que deux colonnes supportant un fragment de toit. Au cœur de l'été, le Théâtre antique est le cadre du festival d'Arles et des Rencontres internationales de la photographie.

Thermes antiques

Leur architecture fait songer à ceux de Trèves, parce que les deux édifices ont été construits sous l'empereur Constantin (IVe siècle). Les thermes d'Arles faisaient partie intégrante de son palais.

Musées

Museon Arlaten

Si vous voulez faire plus ample connaissance avec l'âme provençale, ce musée ethnographique est une mine d'informations sur les costumes, les meubles, les masques et les reconstitutions d'intérieur. Les 33 pièces d'un ancien hôtel particulier (XVIe siècle) richement aménagées témoignent de la culture et de l'identité provençales du temps passé. La vie quotidienne et les fêtes traditionnelles des Provençaux sont un thème central. Le poète Frédéric Mistral (1830-1914), qui a fait revivre la langue provençale grâce à ses œuvres, créa ce musée avec l'argent du prix Nobel de littérature qu'il obtint en 1903. Hôtel Laval-Castellane Rue de la République

Musée lapidaire d'Art chrétien

Riche collection de sarcophages paléochrétiens, comparables à celle du musée Latran à Rome. La plupart d'entre eux proviennent de deux nécropoles: **les Alyscamps** et **Saint-Genès**, les plus anciens

datant de 330. Nombre de ces cercueils richement sculptés sont dus à des tailleurs de pierre renommés. Cette collection est exposée dans une ancienne chapelle des jésuites à façade baroque.
Rue Balze

Musée lapidaire d'Art païen

Y sont exposées les antiquités païennes, donc romaines, telles qu'elles ont été mises au jour dans les divers momuments d'Arles. La seule copie est la *Vénus d'Arles* dont l'original figure à Paris. On remarquera le torse colossal d'Auguste entouré de statues de dieux et de danseuses. Le musée, installé dans une église baroque (début du XVIIe siècle), est le plus important du genre en Provence.
Pl. de la République

Musée Réattu

Aménagé dans l'ancien grand prieuré des chevaliers de Malte (XVe siècle) et baptisé du nom de son fondateur et peintre arlésien, Jacques Réattu (1760-1833), auquel trois salles sont consacrées, le musée abrite des peintures et des gobelins des écoles française, hollandaise et italienne des XVIe-XVIIIe siècles. On y trouve aussi des œuvres d'artistes qui ont travaillé en Provence comme Jean Lurçat, Fernand Léger, Germaine Richier et Pablo Picasso qui a fait cadeau au musée d'une soixantaine de dessins. Il y a une section réservée à la photographie.
Rue du Grand-Prieuré

Restaurants

Le boulevard des Lices n'est qu'une longue succession de restaurants, cafés, bistrots et pizzerias. On peut manger pour pas trop cher en terrasse.

Lou Marquès

La table renommée du grand hôtel Jules César est également connue pour ses spécialités régionales.

Quand le soir tombe sur Arles, la place du Forum s'anime.

Bd. des Lices
Tél. 04 90 93 43 20
Fermé de fin nov. au 22 déc.
Classe de prix élevée

Le Méjan
Public intellectuel bon enfant. Sur
les bords du Rhône.
23, quai Marx-Dormoy
Tél. 04 90 93 37 28
Classe de prix inférieure à moyenne

Le Vaccarès
Restaurant de poisson traditionnel
avec terrasse.
Pl. du Forum (entrée rue Favorin)
Tél. 04 90 96 06 17
Classe de prix moyenne à élevée

Achats

Marchés
On n'y vend pas que des articles
alimentaires, mais aussi des
vêtements, des tissus, des antiquités
et de la brocante.
Bd. Emile Combes
Me matin
Bd. des Lices
Sa matin

Saucisson d'Arles
Cette savoureuse et nourrissante
spécialité charcutière est préparée
avec de la viande de bœuf et de tau-
reau. Elle symbolise la solidarité traditionnelle de la ville avec un environnement à vocation agricole. Les
saucissons d'Arles sont même vendus dans les kiosques à souvenirs.

Le soir

Adressez-vous à l'office de tourisme
pour tout renseignement relatif aux
festivals d'été et aux manifestations
folkloriques.

Discothèque Le Krystal
Orchestre sa et di.
Moulès
13280 Raphèle-lès-Arles
Tél. 04 90 98 32 40
Sa et di à partir de 15 h, ma-sa à
partir de 22 h

Services

Informations
Office de tourisme
Esplanade Charles de Gaulle/Bd.
des Lices
13200 Arles
Tél. 04 90 18 41 20
Fax 04 90 93 17 17
Du 1er jan. au 31 mars, du 1er oct.
au 31 déc. 9 h – 18 h; fermé di et
jours fériés; en juil. et août jusqu'à
19 h 30, di fermé à partir de 13 h

Tour de la ville
Les enfants surtout s'amuseront
beaucoup en parcourant le centre
historique d'Arles avec ses curiosités
à bord du **petit train**. L'office de
tourisme sert de gare et prend également les réservations de groupes.

Excursions
Aigues-Mortes ■ A4

En bordure occidentale de la
Camargue, **Saint Louis**, roi de
France, établit une tête de pont
militaire. C'est là qu'en 1248 et
1270, des armées de croisés se
rassemblèrent en vue de libérer la
Terre sainte. A l'époque, la ville
fortifiée était située sur la côte,
reliée à la mer par un court chenal.
Ce chenal s'ensabla et la ville
(5 000 habitants) se trouve actuellement 5 kilomètres à l'intérieur des
terres, encerclée de marais salants.
Son nom vient d'**Aquae mortuae**,
eaux mortes.

VILLES ET VILLAGES PITTORESQUES

Tour de Constance et remparts
Ce puissant donjon est l'un des points de repères de la Camargue visible de très loin. Sa tourelle était également un phare. La tour se rendit tristement célèbre en tant que prison où des huguenots et d'autres prisonniers politiques trouvèrent une fin tragique. De la plate-forme, on embrasse un immense panorama de la Camargue aux Cévennes. Avril et mai tous les jours 9 h – 12 h et 14 h – 17 h 30; juin 9 h – 18 h; juil. à sept. 9 h – 19 h; 15 au 30 sept. 8 h – 12 h et 14 h – 17 h 30; oct. à mars 9 h 30 – 12 h et 14 h – 16 h 30
Entrée: 22 FF

Service

Informations
Office de tourisme
Porte de la Gardette
Tél. 04 66 53 73 00

Aqueducs de Barbegal ■ B4

Issue du calcaire des Alpilles, l'eau fraîche était acheminée par les Romains au moyen de deux aqueducs. Le premier alimentait Arles tandis que le second actionnait une meunerie hydraulique de huit moulins, ce qui est un fait unique dans l'Empire romain d'après les connaissances actuelles. On peut visiter les vestiges de ces aqueducs le long de la route entre Fontvieille et Barbegal.

Les Baux-de-Provence ■ C3

L'histoire parle de ce site au cœur des Alpilles comme d'une **cour d'amour** où accouraient les meilleurs troubadours à l'âge d'or du Moyen Age afin de participer à des joutes d'amour courtois. Jusqu'au XIVe siècle, les puissants seigneurs des Baux, descendants du roi Balthazar d'Orient, y régnèrent en maîtres. La chevalerie avec ses tournois et ses joutes courtoises y atteignit son apogée. En 1632, le fief est démoli sur l'ordre de Louis XIII.
Le chemin qui mène à la **ville morte,** belle à en frémir, et aux ruines du château fort fait revivre en imagination la vie courtoise. Du haut de la **tour Paravelle** en ruine, on jouit d'un fabuleux panorama. C'est en outre sur le territoire des Baux que l'on a trouvé la bauxite. Ce minerai important pour la production d'aluminium fut découvert en 1822 au nord de la citadelle. Le site comprend divers musées, de l'archéologie à l'art contemporain. Entrée avec carte de groupe: 20 FF.

Hôtel

Mas d'Aigret
Ce vaste hôtel au pied des ruines est romantique à souhait. Aménagé dans une **ferme** transformée aux anciennes grottes d'habitation, il offre des chambres agréables avec tout le confort moderne, jusqu'à la TV par satellite et une terrasse privée ombragée. Le jardin aux allures de parc possède une piscine avec vue sur le cadre fantomatique des ruines éclairées le soir. Cuisine raffinée à prix plutôt raisonnable. Service plaisant.
Tél. 04 90 54 33 54
Fax 04 90 54 41 37

TOP 2

15 chambres
Classe de prix moyenne à élevée

Service

Informations
Office de tourisme
Dans l'hôtel de Manville (mairie; de la Pentecôte à fin oct.)
Tél. 04 90 54 34 39

Camargue   ■ B4/B5

Les quelque 95 000 hectares de terres alluvionnaires dans le delta du **Petit Rhône** et du **Grand Rhône** sont, pour l'essentiel, un paysage naturel caractérisé par des prairies marécageuses, des étangs salés et des lagunes, des dunes et des bancs de sable. A certains endroits, ainsi à Aigues-Mortes, la côte a gagné chaque année 10 à 15 mètres sur la mer. Ailleurs, la mer a pénétré de plus en plus profondément dans les terres. On pratique également l'agriculture sur les plaines septentrionales surélevées de la Camargue, dont les pâturages sont entrecoupés de fossés et de chenaux. Les fermes isolées, appelées **mas**, sont comme des petites forteresses au milieu de leurs terres. Les troupeaux de chevaux blancs et de taureaux noirs menés à travers l'écume par les **gardians**, les "cow-boys", sont un spectacle haut en couleurs.
La vie des gens est encore fortement marquée par le travail traditionnel et les vieux us et coutumes.
Leur écosytème est protégé par le **parc naturel de Camargue**. La faune et la flore spécifiques sont sous la protection des 13 500 hectares de la réserve nationale de la Camargue. Parmi les espèces protégées, citons le flamant rose qui s'envole souvent dans le ciel par colonies entières.

Le nid rocheux des Baux attire les touristes comme un aimant.

Musées

Centre d'information
Documentation sur la faune et la flore de la région protégée de la Camargue avec montages audiovisuels, observations sur l'avifaune.
Ginès (sur la D 570)
Tél. 04 90 97 86 32
Ouvert toute la journée; oct. à mars fermé ve et jours fériés

Musée camarguais
Aménagé dans un mas authentique, il retrace l'histoire de la Camargue.
Albaron (sur la D 570)
Mas du Pont-de-Rousty
Avr. à sept. tous les jours 9 h 15 – 17 h 45, juil. à août jusqu'à 18 h 45; oct. à mars 10 h – 16 h 45, fermé ve et jours fériés (saison d'hiver)

Glanum ■ C3

Ce champ de ruines présente l'évolution d'un établissement celto-ligure, depuis une source minérale rituelle jusqu'à un riche comptoir grec avec remparts, maisons de commerce, bâtiments publics, temples et thermes. Le Glanum s'est épanoui en une cité romaine de 5 000 habitants parfaitement prospère. La source fut dédiée à Apollon, un culte particulier étant voué à Hercule triomphant. Le Glanum fut détruit en 270 par des envahisseurs germaniques. La fondation de la ville de **Saint-Rémy** à l'époque carolingienne ne la fit que brièvement renaître de ses cendres. Et les ruines se recouvrirent de boue et de cailloux.

Moulin de Daudet ■ B3

Tout le monde sait qu'Alphonse Daudet (1840-1897) n'a pas écrit ses fameuses *Lettres de mon moulin* dans ce romantique moulin à vent, mais bien après son retour à

Seuls les taureaux camarguais les plus forts vont dans l'arène.

Paris. Or, on y a consacré un musée au conteur. La vue embrasse le paysage des alentours et les sommets des Alpilles.

Montmajour ■ B4

Sur une butte au nord-est d'Arles se trouvaient des lieux de culte celto-ligures, puis romains. Au Xe siècle, des bénédictins fondèrent une abbaye à cet endroit. Louis le Gros les chargea d'assécher et de bonifier les marais. Le paysage ainsi défriché contraste admirablement avec les pierres de l'abbaye. C'est le genre de modèle qu'affectionnait Vincent Van Gogh. Au XVIIIe siècle, Louis XVI supprima l'abbaye à la suite d'un scandale: le dernier abbé, le cardinal Louis de Rohan, avait fait cadeau à la reine Marie-Antoinette d'un collier très précieux que le dignitaire religieux était en fait incapable de payer. L'église **Notre-Dame** et son cloître (XIIe siècle) est l'une des plus belles manifestations de l'art roman provençal. Les chapiteaux du cloître portent un décor animalier remarquable. On y reconnaît entre autres le motif du monstre légendaire qu'est la Tarasque.

Nîmes ■ A3

La ville de Nîmes (plus de 2 000 ans et environ 130 000 habitants) attire essentiellement les touristes à cause de ses monuments antiques. Un peu à tort, mais ils sont indissociables de son charme particulier. La ville, à tradition industrielle de nos jours, a bien débordé le cadre de l'ancienne enceinte longue de 6 kilomètres dont l'empereur Auguste fit entourer la colonie au Ier siècle av. J.-C. Mais on aperçoit encore au

Populaire auprès des écoliers français et des groupes de touristes: le moulin de Daudet

loin les terres des agriculteurs et des viticulteurs. Le **Vieux Nîmes**, encerclé de boulevards bordés de platanes, a un côté urbain agréable avec un enchevêtrement de ruelles, une foule de petits commerces, des spécialités régionales; bref, on n'est pas déçu. Le centre se parcourt à pied en faisant une petite halte de temps à autre. Nous conseillons le **boulevard Victor-Hugo** aux flâneurs, la visite du ravissant **jardin de la Fontaine** aux amateurs du genre. La fontaine était un sanctuaire pour les peuples celto-ligures d'abord, pour les Romains ensuite. Elle fut agrandie à l'époque baroque pour former un parc-jardin (1740) dont les plantations s'étendent jusqu'à la **tour Magne**, plantée au sommet du mont Cavalier. Cette grande tour, d'où la vue est magnifique, est d'origine gauloise et fut renforcée par les Romains (Ier siècle). L'édifice le plus noble de tout l'Empire romain est la **Maison carrée**. Ce temple (Ier siècle avant J.-C.) de modèle grec bordait jadis le forum, au carrefour de l'axe principal de la ville. L'**amphithéâtre** (fin du Ier siècle), mieux conservé que celui d'Arles et à peine un peu plus petit, était davantage excentré. Dans l'arène se sont tenus pendant des siècles des combats sanguinaires de gladiateurs et d'animaux. Après la chute de l'Empire romain, l'amphithéâtre fut au cœur de Nîmes, d'abord transformé en forteresse puis envahi par des maisons comme une "ruche humaine". Après la Révolution française, on entama la restauration de cette structure monumentale. Les adeptes de la tauromachie reprirent la tradition des combats de taureaux en 1853. Nîmes est un haut lieu de la corrida à partir de la Pentecôte.

Hôtels

Albion
Situation centrale (non loin des arènes), restaurant.
83, rue de la République
Tél. 04 66 29 66 00
64 chambres
Classe de prix inférieure

Imperator
Le meilleur hôtel de l'endroit: élégance raffinée, belle cour intérieure, près du centre et du jardin de la Fontaine.
Quai de la Fontaine
Tél. 04 66 21 90 30
Fax 04 66 67 70 25
62 chambres, 3 appartements
Classe de prix élevée à classe de luxe

Restaurants

Alexandre
Restaurant une étoile, très beau jardin. La cuisine régionale côtoie la grande cuisine, toutes deux raffinées.
4, route de l'Aéroport, Garons
Tél. 04 66 70 08 99
Classe de luxe

Café du Carré d'Art
Proche de la cafétéria (salades, assiette anglaise, plat du jour), le plaisir esthétique en prime: assis sur une immense terrasse, on domine le temple corinthien de la Maison carrée. Idéal pour se reposer après une visite des excellentes expositions du superbe centre d'art moderne ou après une promenade dans la ville.
Bd. Alphonse-Daudet
Classe de prix inférieure

Chez Jacotte
Cuisine provençale dans une ambiance espagnole.
1bis, rue Thoumayne
(à proximité des arènes)
Tél. 04 66 21 64 59
Classe de prix inférieure à moyenne

Achats

Lou Galoubet
Mode andalouse pour femmes et hommes. Approprié à une soirée flamenco ou à une visite des arènes.
54, rue Porte-de-France

Librairie Goyard
Cette librairie réserve tout un département (beaucoup de volumes de photos) à la tauromachie de la préhistoire à nos jours.
34, bd. Victor-Hugo

Photographes toréros
Il existe, et pas seulement à Nîmes, des amateurs de corridas qui ne peuvent fermer l'œil sans une photo de leur matador préféré. El Cordobès est toujours la star incontestée.

Photos des corridas et des férias de Nîmes, d'Arles et de Béziers.
Prix allant de 10 FF (format carte postale) à 600 FF.
Michel Pradel
18, rue Aspic

Service

Informations
Office de tourisme
Informations sur les festivals et réservations d'hôtels.
6, rue Auguste (en face de la Maison carrée)
30000 Nîmes
Tél. 04 66 67 29 11
Ouvert toute la journée

Pont du Gard ■ B2

Les ingénieurs romains étaient passés maîtres dans la construction d'aqueducs transcontinentaux, comme le pont du Gard. L'élégant ouvrage à trois rangs d'arcades jeté sur la vallée du Gard (Gardon) faisait partie d'un aqueduc long de 50 kilomètres qui conduisait à Nîmes les eaux captées aux sources de l'Eure près d'Uzès. Le débit était de 20 000 mètres cubes par jour. La pente moyenne de 34 centimètres par kilomètre du canal conducteur est considérée suivant les normes actuelles comme une prouesse technique. Le pont du Gard a une hauteur de 49 mètres, une longueur de 275 mètres et fut achevé en l'an 19 avant J.-C. Sous le pont, les eaux fraîches et pures de la rivière invitent à la baignade.

Hôtel

Vieux Moulin
Lieu de séjour tranquille sur la rive gauche avec jardin, terrasse et restaurant sympathique. Situé au bord de la rivière avec vue sur le pont du Gard illuminé le soir.
Tél. 04 66 37 14 35
14 chambres
Fermé du 15 nov. au 15 mars
Classe de prix moyenne

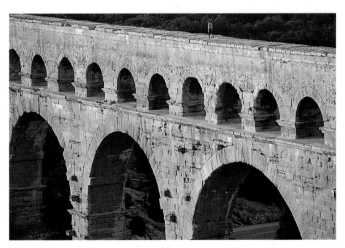

Perfection de la technique et de la forme: le pont du Gard

Saint-Gilles ■ B4

La façade richement sculptée de l'**abbatiale de Saint-Gilles** est l'un des spécimens les plus admirables de l'architecture romane en France. Elle fut réalisée entre 1180 et 1240 et l'on distingue trois écoles de sculpture. Des maîtres toulousains ont exécuté le portail central, les portails nord et sud sont l'œuvre d'artistes d'Ile-de-France, les apôtres expressifs des hauts-reliefs sont de facture provençale. Les scènes du bas-relief expriment une intensité dramatique inhabituelle. A côté, des figures diaboliques d'origine païenne. D'après la légende, Saint-Gilles fut fondée au VIIIe siècle par un moine athénien, saint Egide. Elle fut incendiée lors des guerres de religion.
Il faut visiter la grande crypte datant de 1180.
Fermé me et di après-midi

Saintes-Marie-de-la-Mer ■ B5

L'ancien village de pêcheurs et de bergers est le haut lieu de la Camargue. Pendant les vacances d'été, il attire les foules. A signaler, son **église-forteresse** (XIIe siècle) construite sur les reliques des saintes Marie Jacobé et Marie Salomé et de leur servante noire. Elle fait l'objet du pèlerinage annuel des Gitans (voir Fêtes et festivals, p. 32).

Hôtel

Galoubet
Belle vue et piscine.
Rte de Cacharel
13460 Saintes-Maries-de-la-Mer
Tél. 04 90 97 82 17,
fax 04 90 97 71 20
20 chambres
Fermé de déc. à fév.
Classe de prix moyenne

La façade de l'abbatiale de Saint-Gilles

Saint-Rémy-de-Provence ■ C3

Ce petit bourg sympathique (9 000 habitants) aux charmantes vieilles ruelles et placettes est la porte des Alpilles. Le monastère **Saint-Paul-de-Mausole** et son splendide cloître (XIIe siècle) fut la dernière demeure provençale de Vincent Van Gogh. C'est là qu'il peignit des toiles saisissantes après une crise. Le processus de création lui avait redonné des forces, comme en témoigne son émouvant autoportrait. Le 16 mai 1890, il quitta la maison de santé et prit le train pour Paris. L'un de ses tableaux représente la nature devant la ville. Ce décor paradisiaque reste caractéristique de Saint-Rémy qui, au Moyen Age, était placé sous la protection de l'abbaye de Saint-Rémy-de-Reims. Saint-Rémy jouit d'une certaine notoriété en tant que ville natale du mystérieux **Nostradamus** (1503-1566) (voir Salon-de-Provence, p. 45).

Les Antiques au sud de Saint-Rémy le long de la route du Glanum sont une curiosité majeure. Les monuments antiques, un cénotaphe (mausolée) et un arc municipal de l'époque romaine, sont en dépit de leur âge, aussi merveilleusement conservés, que s'il s'agissait d'ouvrages modernes. Le cénotaphe de près de 20 mètres de haut, un mausolée élevé à la mémoire des deux petits-fils d'Auguste, est orné d'un bas-relief relatant la guerre des Gaules. L'arc romain est le plus vieux de Provence et dénote une influence grecque.

Musée

Musée archéologique
Ce musée expose les vestiges découverts au **Glanum** dont des statues, des fresques, des fragments architecturaux, des objets domestiques et des bijoux.
Hôtel de Sade
Pl. Favier
Tél. 04 90 92 13 07
Avril à déc. tous les jours 9 h – 18 h

Tarascon ■ B3

La principale attraction de cette ville de la vallée du Rhône qui mérite le détour avec ses maisons à arcades en plein cintre et son hôtel de ville (XVIIe siècle) de style palazzo italien, est le château féodal entouré d'eau. Ce château avec ses hauts murs et ses hautes tours n'a jamais été détruit, ce qui frise le miracle quand on songe au passé belliqueux de la Provence. Aujourd'hui encore, il est aussi majestueux qu'imprenable. Son occupant le plus illustre fut le "bon roi René" qui dirigeait son comté de Provence depuis Aix, mais préférait résider à Tarascon. Il paracheva la forteresse (1447-1449), romane à l'origine, en style gothique. Le château est à juste titre l'un des plus beaux de France, ainsi que le prouve la visite guidée.
Avril à sept. tous les jours 9 h – 12 h et 14 h – 19 h; oct. à Pâques 9 h – 12 h et 14 h – 17 h, visite guidée toutes les heures

Achats

Les **tartarinades**, des bonbons fourrés à la liqueur, sont une spécialité gourmande de la ville. L'industrie textile locale produit de beaux tissus aux vieux motifs provençaux.

L e célèbre pont et un grand nombre de bâtiments et de musées font d'Avignon une ville touristique de première importance.

Avignon
■ C 2

Le plus fameux monument d'Avignon est sans conteste le pont **Saint-Bénézet**, construit entre 1177 et 1185 et "rompu" depuis 300 ans... *Sur le pont d'Avignon...* Les enfants du monde entier, même sans connaître un mot de français, ont chanté cette comptine. Qu'est-il arrivé à ce pont? S'est-il effondré sous le poids du diable qui y dansait? La légende est jolie, mais la vérité moins fantaisiste est connue des historiens depuis très longtemps: une grande partie du pont, un miracle au XIIe siècle, fut emportée par les crues en 1669. Seul un splendide fragment à plusieurs arches resta debout. C'est sur lui que dansent souvent les enfants des touristes. Pour eux, le **pont d'Avignon** est l'attraction numéro un.

Mais la véritable attraction de la ville, c'est le palais des Papes, plus forteresse que palais, qui est l'œuvre successive de quatre générations de papes. Avec sa cathédrale **Notre-Dame-des-Doms** (XIIe siècle), la **place du Palais** et les palais contigus ainsi que le **rocher des Doms** et son jardin, la résidence pontificale provençale constitue un Vatican en miniature. C'est de là que le Pontifex Maximus régna sur le monde chrétien de 1309 à 1377. Avignon fut encore pendant 27 ans le fief des antipapes. Les temps troublés par des guerres et des révolutions l'ont détruit. Mais ce qu'il en reste toutefois stupéfiant. Rien que le mur d'enceinte! Construit au XIVe siècle, il englobe toute la ville dans des murailles et des tours. Longueur totale: 4,5 kilomètres. Les remparts ont été restaurés au XIXe siècle.

De la papauté au tourisme international

Fondé par des marchands grecs massaliotes, Avignon connut une période florissante à l'époque romaine et gallo-romaine sous le nom d'Avenio. Charles Martel ravagea la ville en 732 parce qu'elle avait conclu un traité avec les Maures. Petite république municipale, elle fut soumise à la souveraineté de la maison d'Anjou au XIIe siècle et mena une existence tranquille. Mais l'exil de la cour pontificale en Avignon braqua brusquement sur elle l'attention de tout le monde médiéval.

L'imposant palais des Papes à Avignon

Le fait qu'Avigon soit devenue une destination touristique internationale est une conséquence de cette époque. Avignon, siège pontifical, a vu son image transformée d'un seul coup et l'a conservée pendant tous ces siècles. Le Moyen Age a laissé des traces évidentes. Naturellement l'une de ses plus belles et de ses plus sublimes empreintes, sacralisée par l'histoire sacrée de la ville. Mais quelle débauche de théâtralité! La vue la plus éblouissante de cette "empreinte" nous est offerte de la berge opposée du Rhône, lorsque après le coucher du soleil le palais des Papes avec ses tours et ses bastions majestueux est artistiquement éclairé et se reflète dans les eaux du fleuve.

Mais la ville ne vit pas que de tourisme. En tant que préfecture du Vaucluse, Avignon (87 000 habitants environ) est une ville administrative tournée vers les activités tertiaires.

Grâce à un arrière-pays fertile et bien irrigué, elle constitue un centre agro-alimentaire important.

La fête de l'art

En été, Avignon est placée sous le signe de l'art. C'est un peu le second héritage papal, car la façade et l'esplanade du palais des Papes illuminées la nuit sont le cadre prestigieux du **festival d'Art dramatique**. Fondée en 1947 par Jean Vilar, cette fête réunit des productions du monde entier. Mais à côté des manifestations artistiques de niveau international, il y a aussi de la place pour des représentations plus populaires dans la grande tradition médiévale. Le festival comprend les sections théâtre, musique, danse et cinéma. La "sélection officielle" se double d'un **festival off** qui présente aussi de la danse, de la musique, des expositions et du théâtre de rue.

TOP 5

Terrasses de cafés dans le vieil Avignon

Hôtels et logements

Auberge de Cassagne
Hôtel calme dans une dépendance
du château de Cassagne avec jardin
et excellente table (une étoile).
450, allée de Cassagne, Le Pontet
(nord-est)
Tél. 04 90 31 04 18
Fax 04 90 32 25 09
25 chambres, 13 appartements
Fermé du 10 nov. au 10 déc.
Classe de prix élevée à classe de luxe

Hôtel d'Europe
Hôtel de bonne réputation.
Ravissante cour intérieure
ombragée, bon restaurant.
12, pl. Crillon
Tél. 04 90 82 66 92
Fax 04 90 85 43 66
44 chambres, 3 appartements
Classe de prix élevée à classe de
luxe

Mercure Palais des Papes
Hôtel sympathique dans le vieux
quartier de la Balance.
Rue Ferruce
Tél. 04 90 85 91 23
Fax 04 90 85 32 40
87 chambres
Classe de prix moyenne

Promenade

Du parking (gratuit) entre les
remparts et le Rhône, on passe près
du pont Daladier sous la porte en
direction de la **place Crillon**. Passé
la place, la rue de la Balance traverse le **quartier** historique de la
Balance jusqu'à la **tour du
Châtelet**. Elle commande l'accès au
pont historique de **Saint-Bénézet**
ou **pont d'Avignon**, où l'on peut
se promener. En quittant la tour du
Châtelet, empruntez les escaliers
des remparts pour accéder au
rocher des Doms et découvrir la
vue sur la vallée du Rhône. Dans le
jardin attenant agrémenté de fontaines et de statues, on trouve des
bancs à l'ombre des arbres et des
terrains de jeux. Il est facile de
redescendre vers la cathédrale
Notre-Dame-des-Doms. Même si
vous êtes pressé, entrez quelques
minutes dans cette belle et modeste
cathédrale. Le palais des Papes
mérite une visite pour quelques
splendides fresques et peintures
murales.
Sur la vaste esplanade, la **place du
Palais**, règne une animation
colorée et cosmopolite: chanteurs
en costumes, jongleurs, orateurs

Sarcophages en pierre dans le palais des Papes

VILLES ET VILLAGES PITTORESQUES

publics, scouts, artistes grimés, groupes du monde entier se croisent dans un incessant va-et-vient. La place exhibe deux magnifiques façades de très beaux palais: le **Petit Palais** et l'**Hôtel des Monnaies**.

Via la **place de l'Horloge** (tour de l'horloge des XIVe et XVe siècles) envahie de terrasses de cafés et de restaurants en plein air, on passe du quartier papal au quartier bourgeois. Longeant l'hôtel de ville (XIXe siècle) décoré de personnages, on se dirige vers l'église gothique **Saint-Agricol** renfermant de nombreuses œuvres d'art. La rue Viala est bordée de deux imposants palais du XVIIIe siècle abritant le Conseil général et la préfecture. La **rue de la République**, la longue artère principale de la vieille ville avec ses magasins, ses entrepôts et ses restaurants, affirme le visage confiant de l'Avignon d'aujourd'hui. Par la fontaine de la rue Prévôt, on poursuit jusqu'à l'église gothique **Saint-Didier** avec

le dramatique retable du Portement de la Croix (XVe siècle) et des fresques de l'école de Sienne (XIVe siècle). Face au flanc sud s'élève la tour de la résidence du cardinal Ceccano (XIVe siècle). De là, prenez la rue du Roi-René et ses hôtels princiers dont en particulier l'**hôtel Berton de Crillon** richement orné (au n°7). La balade continue vers la **rue des Teinturiers** et ses roues à aubes. C'est ici qu'on teignait dans les eaux de la Sorgue les "indiennes" provençales, des tissus de coton aux motifs indiens, toujours prisés. La rue Bonneterie nous conduit à la **place Pie** près des halles et son marché grouillant de vie (tous les jours sauf le lu). Le retour s'effectue par l'église **Saint-Pierre** (XIVe/XVIe siècles) avec ses vantaux de bois magistralement sculptés (Antoine Valard) et son intérieur solennel. Puis on regagne la place de l'Horloge.

Durée: 2 h 30

Tant chanté et mondialement connu: le pont d'Avignon

76

Curiosités

Cathédrale Notre-Dame-des-Doms

La cathédrale (XIIe siècle et transformations) faisait pour ainsi dire office de cathédrale Saint-Pierre de la papauté avignonnaise et est intimement liée à l'ensemble des palais. La coupole romane et le siège épiscopal en marbre blanc (XIIe siècle, à gauche du chœur) sont remarquables. Dans cette cathédrale sont enterrés deux papes et 157 cardinaux.
Pl. du Palais

Hôtel des Monnaies

Erigé en guise d'hôtel pour un cardinal (1619), il a une façade insolite à blocs rectangulaires, un peu trop ornée.
Autrefois on y frappait monnaie, de nos jours c'est une école de musique.

Palais des Papes

L'architecture reflète largement les caractères de ses deux papes bâtisseurs: Benoît XII, un moine cistercien ascète, fit ériger le palais Vieux (1334-1342); Clément VI, un noble français très bon vivant et très prodigue, créa le spacieux et somptueux palais Neuf (1343-1352). Au cours de la Révolution française, l'ensemble monumental fut entièrement pillé avant de servir de prison et caserne. Il est en cours de restauration depuis 1906. Sans en faire une "seconde Rome", c'est malgré tout une "autre Rome". Le résultat est unique. L'architecture puissante des bâtiments, la majesté des salles de représentation et d'apparat et l'aménagement intérieur font grande impression.
Citons au moins Simone Martini et Matteo Giovanni parmi les artistes

et la chambre du Cerf (1343) parmi les pièces.
Pl. du Palais
Tous les jours 9 h – 11 h et 14 h – 17 h; juil. à sept. tous les jours 9 h – 18 h.
Entrée: 21 FF

Palais du Roure

Ce vaste hôtel (XVe siècle) comporte notamment une riche collection d'ouvrages de référence pour l'étude de la langue et de la culture provençales.
3, rue du Collège-du-Roure

Pont St-Bénézet

La légende rapporte que le **pont d'Avignon** a été édifié par le pâtre Bénézet, investi d'une mission divine (1177-1185). Il est vrai qu'il fonda afin de soutenir la construction du pont, la confrérie des "frères pontifes". Le pont avait 900 mètres de long. Endommagé par les guerres et les crues, il fut restauré et servit jusqu'en 1680.
Sur les 22 arches d'origine, il n'en reste plus que quatre ainsi que la chapelle Saint-Nicolas à deux étages.
Entrée: 10 FF

Rocher des Doms

Rocher calcaire (25 m) entre le pont et la cathédrale, qui, flanqué d'un jardin idyllique, offre une vue étendue sur la vallée du Rhône et la vieille ville.

Musées

Musée Calvet

Le professeur Esprit Calvet, médecin, archéologue et bibliophile, mit à la disposition de ce musée un élégant hôtel particulier, une collection polyvalente et des moyens financiers. Il dénote une riche culture bourgeoise. Parmi les principales

pièces de ce musée, on note une
stèle de stature humaine du rocher
des Doms qui établit la présence à
l'âge du cuivre (IIIe siècle) d'une
colonie d'un niveau de culture élevé.
65, rue Joseph-Vernet
Tous les jours 9 h – 12 h et
14 h – 18 h, fermé ma
Entrée: 15 FF (oct. à mars, di gratuit)

Musée lapidaire
La principale attraction est la
Tarasque de Noves en pierre (IIIe
siècle av.J.-C.), le fabuleux monstre
anthropophage. Le musée est consacré aux vestiges de pierre comme
les sculptures, les reliefs et les
mosaïques trouvés dans la région.
27, rue de la République
Tous les jours 9 h – 12 h et
14 h – 18 h, fermé ma
Entrée: 14 FF

Petit Palais
Ce palais gothique de cardinal
(XIVe/XVe siècles) était l'ancienne
résidence des évêques d'Avignon. Il
présente dans 19 salles un riche
ensemble d'œuvres datant du XIIIe
au début du XVIe siècle. Sont surtout à remarquer la peinture primitive italienne très bien représentée et
les tableaux de l'école avignonnaise.
La toile lyrique la *Vierge et l'Enfant*
de Sandro Botticelli (salle 11) est
l'une des œuvres les plus belles.
Pl. du Palais
Tous les jours 9 h 30 – 11 h 50 et
14 h – 18 h 15; en hiver jusqu'à
18 h, fermé ma
Entrée: 15 FF

Restaurants

Entrée des Artistes
Bistrot simple et sympa avec
terrasse. Rendez-vous des artistes et
des festivaliers. Propose une cuisine
française traditionnelle et un menu

à 110 FF qui change régulièrement.
1, pl. des Carmes
Tél. 04 90 82 46 90
Fermé sa midi et di,
15 août à début sept.
Classe de prix moyenne

Férigoulo
Bon restaurant à prix vraiment
avantageux.
10, rue du Rempart-du-Rhône
Tél. 04 90 82 10 28
Fermé di soir, 20 juin-6 juil.
Classe de prix moyenne

Le Port de Barc
Beau bar-restaurant avec banc
d'écailler. Tout près des halles.
Terrasse agréable en été. Menu
intéressant le midi.
25, pl. Pie
Tél. 04 90 82 63 82
Fermé sa midi, di et 15-30 août
Classe de prix inférieure à élevée

Achats

Antiquités Hervé Baume
Affaire réputée. Spécialité: mobilier
français du XVIIIe, début XIXe
siècle, mais aussi des lustres de
Murano, des miroirs italiens.
19, rue de la Petite-Fusterie

Les Olivades
Tout le charme d'un intérieur
provençal: tissus, nappes, services,
accessoires, etc.
Rue des Marchands

Papalines
Les papalines sont une spécialité
d'Avignon: des pralines faites avec
du chocolat, du sucre et de la
liqueur d'herbes indigènes. Elles
sont vendues dans de nombreux
commerces de la ville.

Pâtisserie Mallard
Connue dans toute la ville pour ses gourmandises salées et sucrées.
32, rue des Marchands

Souleïado
Tissus, vêtements et services dans les jolies teintes et les frais motifs de Provence.
5, rue Joseph-Vernet

Marché hebdomadaire
Pl. Pie, près des halles
Tous les jours sauf lu matin

Le soir

Le Café des Artistes
En juillet et août, point de convergence des noctambules du monde entier. Bon restaurant avec terrasse en face de l'Ancienne Comédie au service d'une cuisine provençale traditionnelle: légumes farcis, plats de lapin et de poisson, lunch avantageux.
21bis, pl. Crillon
Tél. 04 90 82 63 16
Classe de prix moyenne

Discothèque 46th Avenue
Ça déménage au cours des nuits chaudes du festival off.
Gare routière
Entrée gratuite

Services

Informations
Office de tourisme
Egalement des renseignements sur les nuits d'hôtels, les restaurants, les visites guidées, le programme du festival et les réservations.
41, cours Jean-Jaurès
84000 Avignon
Tél. 04 90 82 65 11
Lu-ve 9 h – 18 h, sa 9 h – 12 h et 14 h – 18 h; juil. à début août lu-ve 10 h – 19 h, sa et di 10 h – 17 h

Location de cycles
Ardam location
Bd. Limbert
Tél. 04 90 86 81 11

Festival off
La maison du Off
18, rue Buffon
En période de festival tous les jours 10 h – 20 h

Promenades sur le Rhône
Le Mireio
Allée des Oulles (devant la pte de l'Oulle/pl. Crillon)
Tél. 04 90 85 62 25
Europalines
58, bd. Saint-Roch
Tél. 04 90 85 27 60

Taxis
Radio Taxi
Pl. Pie (24 h/24)
Tél. 04 90 82 20 20

Excursions

Cavaillon ■ C3

C'est l'histoire de bien des villes provençales: un établissement de l'âge de la pierre qui s'est développé en comptoir grec, puis en colonie romaine et enfin en évêché paléochrétien. On y trouve des témoins de toutes ces phases historico-culturelles, ainsi l'**arc de triomphe** romain sur la place Tourel ou la cathédrale **Notre-Dame** (XIIe siècle) érigée sur le lieu de culte de saint Véran, qui fut missionnaire au IVe siècle sur les rives de la Durance. Ou bien la synagogue rococo (1774) de la rue Hébraïque. Ou encore les maisons à arcades de la place du marché, symboles du statut bourgeois. Cavaillon (23 000 habitants) est de nos jours, dans le droit fil de la tradition, une ville marchande dynamique. Avec 800 000 tonnes de fruits et légumes commercialisés par an, Cavaillon est le premier marché de primeurs du sud de l'Europe. La colline de l'ermitage **Saint-Jacques**, habité du Moyen Age à nos jours, offre une belle vue sur les terres fertiles de Provence. La chapelle remonte au XIIe siècle et est entourée d'un jardin ombragé. Si vous comptez vous y rendre à pied, l'aller-retour prend une petite heure.

Hôtel

Christel
Hôtel moderne, calme, avec restaurant, jardin-terrasse, piscine et court de tennis.
Digue des Grands-Jardins
(à 2 km, direction Tarascon)
Tél. 04 90 71 07 79
Fax 04 90 78 27 94
105 chambres, 4 appartements
Classe de prix moyenne

Fontaine-de-Vaucluse ■ C2

Un village pittoresque au passé prestigieux. C'est ici que **Pétrarque (Francesco Petrarca)** a écrit entre 1337 et 1353 ses sonnets immortels évoquant son amour (platonique) pour Laure de Noves. Il était l'hôte de Philippe de Cabassol, évêque de Cavaillon, dont le château, aujourd'hui en ruine, était bâti sur un rocher aux environs de la fontaine. La colonne Pétrarque rappelle le séjour du poète tout comme le petit musée installé à l'endroit où était sa maison. L'église romane **Saint-Véran** (XIe siècle) est émouvante de noblesse et de simplicité. L'attrait majeur est cependant la fontaine tumultueuse de toute beauté. C'est la destination romantique de foules de pèlerins qui affluent à pied et en cars. Parking: 13 FF (voitures)

Tantôt un filet d'eau, tantôt un jaillissement d'écume: la fontaine de Vaucluse

Musée

Musée Pétrarque
Il expose à la fois des écrits du
poète et des écrits d'autres poètes
contemporains.
Pl. de l'Eglise
15 avril au 15 oct. tous les jours
9 h 30 – 12 h et 14 h – 18 h 30;
fermé ma;
le reste de l'année me-ve et lu
9 h 30 – 12 h et 14 h – 18 h 30
Entrée: 5 FF

L'Isle-sur-la-Sorgue ■ C2

Un endroit riant, cerné par les bras
de la Sorgue et protégé par de
vieux platanes. On y trouve de
paisibles maisons patriciennes et
une église baroque. Le grand événement de la ville est à côté de
son festival, le **marché dominical**.

Hôtel

La Gueulardière
Affaire de famille, cuisine
provençale.
1, av. Jean-Charmasson
Tél. 04 90 38 10 52
19 chambres
Fermé lu et jan.
Classe de prix moyenne

Restaurant

Le Jardin du Quai
Restaurant campagnard avec beau
jardin, cuisine rustique
(**andouillettes** ou poulet à la diable
avec un Châteauneuf-du-Pape),
plats du jour avantageux.
Le Jardin du Quai
Tél. 04 90 38 56 17
Fermé ma soir, me
Classe de prix moyenne

Achats

L'Isle-sur-la-Sorgue est le lieu de
rencontre des habitants du
Vaucluse le week-end au marché.
Le marché dominical est
extrêmement populaire. On y
propose des objets d'art remarquables, comme des gravures et
parfois des peintures à l'huile. On y
trouve bien sûr aussi d'autres
choses, comme de la céramique,
des verres, des petits meubles et
des babioles irrésistibles.

Marchés
Antiquités, brocantes
Di
Marché hebdomadaire
Je et di

L'Isle aux brocantes
Loin de l'agitation urbaine, 40
marchands ont formé une sorte de
village et offrent un mélange
d'antiquités de qualité et de
vieilleries remarquables, ainsi que
des œuvres contemporaines.
7, av. des Quatre-Otages
Sa, di et jours fériés 9 h 30 – 19 h;
juil. à août également lu

Plateau du Vaucluse ■ D2/E2

Le paysage du Vaucluse (de vallis
clause= vallée close) se signale par
des villages perchés, des vallées
abruptes, des champs en terrasses,
des cours d'eau romantiques, des
grottes et des cavernes
mystérieuses. Ce plateau calcaire
(1200 km^2), dont les collines boisées
culminent à 1 256 mètres, est cerné
au nord par le **mont Ventoux** et
au sud par la **Montagne du
Luberon**. Il a une physionomie
changeante et est une terre de
vacances privilégiée.

VILLES ET VILLAGES PITTORESQUES

Le plateau du Vaucluse est le jardin de la Provence

Venasque ■ C2/D2

Le village dominant la vallée de la Nesque mérite le détour dans la mesure où c'est l'un des plus jolis villages de France. Dans l'église **Notre-Dame** (XIIe siècle), on peut admirer un cloître de l'école d'Avignon. Le baptistère date vraisemblablement du VIe siècle.

Villeneuve-lès-Avignon ■ C2

Lieu résidentiel qui a grandi avec l'histoire sur la rive du Rhône, en face d'Avignon. C'est ici que les hauts dignitaires ecclésiastiques jusqu'aux cardinaux et aux familles nobles alliées au Saint-Siège passaient l'été dans leurs somptueuses résidences secondaires. Quinze cardinaux avaient ici leurs "livrées" (résidences). Des édifices puissants (érigés en 1292) protégeaient la ville et le pont commandant l'accès au palais pontifical. Les deux tours du fort Saint-André sont moitié moins hautes que la tour de Philippe le Bel (176 marches). Toutes trois offrent une vue splendide sur le Rhône et Avignon. En porte-à-faux avec cette ambiance belliqueuse, la chartreuse du **Val-de-Bénédiction** (XIIIe/XIVe siècles), toujours en activité, exhibe ses bâtiments discrets, son cloître et ses fontaines. L'église paroissiale **Notre-Dame** faisait partie autrefois de la résidence d'un cardinal.

Services

Chambre départementale de tourisme du Vaucluse
B.P. 147
La Balance-pl.Campana
840008 Avignon Cedex
Tél. 04 90 86 43 42
Fax 04 90 86 86 08
(3615 Code Vaucluse)

Réservation hôtelière
Vaucluse Tourisme Hébergement
B.P. 147
84000 Avignon
Tél. 04 90 82 05 81
Fax 04 90 86 54 77

Hôtels

L'Atelier
Hôtel à prix modérés dans une ferme avec cour du XVIe siècle
5, rue de la Foire (près de Notre-Dame)
Tél. 04 90 25 01 84
Fax 04 90 25 80 06
26 chambres
Classe de prix moyenne

La Magnaneraie
Cette solide demeure (XVe siècle) possède des chambres confortables et une terrasse agréable. Immense piscine dans un grand parc avec vue sur Avignon. Cuisine provençale à prix avantageux.
37, rue du Camp-de-Bataille
Tél. 04 90 25 11 11
Fax 04 90 25 46 37
27 chambres
Classe de prix moyenne à élevée

Curiosités

Chartreuse du Val-de-Bénédiction
Le pape Innocent VI créa cette chartreuse en remerciement au général de l'ordre des chartreux. Ce dernier refusa la tiare par humilité et ce fut Innocent VI qui fut élu pape en 1352.
50, rue de la République
Avril à sept. tous les jours 9 h – 18 h 30; mars à oct. tous les jours 9 h 30 – 17 h
Entrée: 22 FF

Fort Saint-André
Ce petit fort aux puissantes tours rondes fut élevé dans la seconde moitié du XIVe siècle. La porte fortifiée (1362) est un beau spécimen de fortification du Moyen Age.
Juil. à août tous les jours 9 h – 18 h 30; avril à juin et sept. 9 h – 12 h et 14 h – 18 h 30; le reste de l'année 10 h – 12 h et 14 h – 17h
Entrée: 15 FF

Notre-Dame
L'église paroissiale, ancienne chapelle de la "livrée" fondée en 1333 par le cardinal Arnaud de Via, contient de précieux tableaux et sculptures.
Pl. Saint-Marc
Tous les jours 10 h – 12 h et 14 h – 18 h, fermée lu et ma

Tour de Philippe le Bel
La tour de 32 mètres de haut était la pièce maîtresse d'un châtelet que le roi Philippe le Bel fit bâtir en 1302 pour défendre l'entrée du pont sur le Rhône.
Avril à sept. tous les jours 9 h – 12 h et 14 h – 18 h, fermée ma et jours fériés; le reste de l'année 10 h – 12 h et 14 h – 17 h
Entrée: 6 FF

Musée

Musée Pierre de Luxembourg
Ce musée municipal présente de magnifiques œuvres d'art chrétiennes comme un *Couronnement de la Vierge* (1453) et une statue de la Vierge en ivoire (XIVe siècle).
Pl. de l'Oratoire
Avril à sept. tous les jours 10 h – 12 h 30 et 15 h – 19 h 30, fermé ma; le reste de l'année 10 h – 12 h et 14 h – 17 h, fermé jours fériés et fév. Entrée: 10, 60 FF; 18 FF avec la tour de Philippe et Notre-Dame

Restaurant

Fabrice
Joli décor, jardin à l'ombre des tilleuls, mets délicieux et excellents desserts.
3, bd. Pasteur
Tél. 04 90 25 52 79
Fermé lu, ma, en période de festival seulement lu
Classe de prix moyenne à élevée

VILLES ET VILLAGES PITTORESQUES

Marseille est caractérisée par deux superlatifs. C'est la cité la plus ancienne et le plus grand port de France.

La **Marseillaise** n'est pas née à Marseille. C. J. Rouget de Lisle l'a composée à Strasbourg, d'où elle vint à Marseille. Paris, sous le choc des troubles de la Révolution française, eut l'oreille attirée par l'entraînante chanson libertaire quand elle fut entonnée par un bataillon de volontaires marseillais (le 30 juillet 1792) à leur entrée dans la capitale. Où qu'elle soit chantée, Marseille en reçoit toujours les lauriers. A Marseille, la liberté n'a jamais été un vain mot.

Marseille
■ D5/E5

Lorsque **Massalia** fut fondée vers 600 avant J.-C. par des marins et des colons, la ville du bord de mer était un centre d'échanges tant avec la Gaule qu'avec la Méditerranée occidentale. Dans la province romaine **Provincia Gallia Narbonensis**, elle passait pour quantité négligeable. Mais de riches familles romaines envoyèrent leurs fils dans la cité phocéenne afin qu'ils y apprennent la langue et la culture grecques. A l'époque des croisades, aux XIIe/XIIIe siècles, Marseille

Le vieux port de pêche a fait place aux luxueux bateaux de plaisance.

connut un grand essor. Le port **commercial** de la ville libre rivalisa avec les républiques maritimes de Gênes, Pise et Venise. Quand le comté de Provence fut assujetti à la couronne de France, Marseille se vit accorder des privilèges. En réalité, ils dépendaient plutôt de la bonne grâce du monarque de Paris. Le XVIIe siècle fut marqué par des épidémies et des luttes de libération avortées. En 1669, le grand port bénéficia d'un édit de franchise. En 1720, la peste ravagea la ville. La Révolution française réveilla les vieux espoirs d'indépendance. Mais les nouveaux maîtres firent dresser la guillotine sur la Canebière et mirent le feu à la ville de Marseille, la séditieuse.

La porte de l'Afrique

Le soleil éclatant au-dessus du port rappelle que Marseille était autrefois la **porte française de l'Afrique.** C'est de là que fut menée en 1830 la colonisation militaire et logistique des pays du littoral méditerranéen. L'Algérie et le Maroc devinrent des colonies, le Liban et la Syrie des mandats, la Tunisie un protectorat. La construction du **canal de Suez** par Ferdinand de Lesseps avec l'aide du gouvernement de Napoléon III ouvrit pour Marseille la voie maritime vers l'Asie à travers la Méditerranée orientale.

Les travaux et les rues de la ville attestent de sa prospérité au XIXe siècle.

Le présent et l'avenir: problèmes et espoirs

La Seconde Guerre mondiale fut suivie du retrait d'Afrique du Nord, sous la pression des mouvements de libération. Cela signifiait le retour forcé des colons, mais aussi l'arrivée en France d'Africains en quête d'une nouvelle existence. Marseille était pour eux le premier port, au propre comme au figuré. A en juger par les gens dans les rues, le flux d'immigrés en provenance d'autres pays lointains se poursuivit. Les groupes ethniques parfois hauts en couleur ne sont pas faits pour diminuer les difficultés sociales dont Marseille, malgré sa capacité économique, a du mal à venir à bout.

Le port avec un fret de 90 millions de tonnes par an est le plus important de France et même le plus grand d'Europe après Rotterdam.

L'ensemble portuaire de Marseille englobe également le bassin de **Fos-sur-Mer**: la "région de la Ruhr sur la Méditerranée", qui s'est développée sur 20 000 hectares depuis 1969 (terminal conteneurs, hauts fourneaux, raffineries de pétrole et complexes industriels) n'a pas atteint son objectif ambitieux, mais a réussi à diversifier la structure économique faible de la Provence à vocation strictement agricole.

Marseille prit également sa modernisation en mains: ce fut la naissance du **Port moderne,**

VILLES ET VILLAGES PITTORESQUES

Notre-Dame de la Garde est le symbole de la ville.

seille-Marignane est tout proche. Un tissu autoroutier très dense converge vers le centre. La ville elle-même possède deux lignes de métro.

Le soir venu, la ville s'anime

Malgré un passé mouvementé et une modernisation efficace, Marseille avec ses 880 000 habitants paraît une cité calme au yeux de nombreux touristes qui n'y retrouvent pas l'agitation habituelle aux grands centres urbains. C'est pourtant la capitale des **Bouches-du-Rhône**, une cité universitaire, une métropole culturelle, une mecque commerçante drainant tous les environs et une destination touristique.

Pour répondre à cela, on avancera deux raisons majeures. L'agglomération – plus grande que Paris – s'étend à perte de vue. Le centre englobant la **Canebière**, les Champs-Elysées marseillais, et le **Vieux-Port** ne s'animent que le soir. Le Vieux-Port est tous les soirs un méli-mélo de langues et de nationalités, baigné de la douceur humide de l'air du large, de l'odeur de la mer et des fumets épicés des restaurants de poissons et des cuisines exotiques.

Déambuler le long des quais dans les lumières scintillantes, le brouhaha, les rires et la musique qui s'échappent des yachts et des bateaux amarrés est l'une des expériences les plus excitantes à vivre à Marseille.

qui remplace le Vieux-Port et est le premier employeur de la ville. Les installations portuaires s'étendent au nord sur près de 10 kilomètres de côte, protégées par la **digue du large**. Les môles totalisent près de 25 kilomètres. On y exporte notamment du vin et des produits alimentaires, des minerais, des machines et des véhicules. Les réparations de navires dans les dix cales sèches sont une source importante de revenus. Le transport de personnes est un facteur non négligeable: un million de passagers débarquent par an à Marseille. Le port dispose de liaisons ferroviaires modernes, mais la ville est tout aussi accessible en TGV et en train auto-couchettes. L'aéroport de Mar-

Hôtels et logements

Bompard

Hôtel calme et sympathique dans un grand jardin possédant une belle vue.
2, rue des Flots-Bleus
Bus 73
Tél. 04 91 52 10 93
Fax 04 91 31 02 14
47 chambres
Classe de prix moyenne

Européen

Hôtel à prix intéressant et confort suffisant. Pas très loin du Vieux Port.
115, rue Paradis
Métro: ligne 2
Tél. 04 91 37 77 20
Fax 04 91 81 40 40
43 chambres
Classe de prix inférieure

Le Petit Nice

Très bonne auberge avec restaurants deux étoiles en bord de mer. Toutes les chambres avec vue sur la mer, piscine d'eau de mer.
Corniche Président-Kennedy
Bus 83
Tél. 04 91 59 25 92
Fax 04 91 59 28 08
15 chambres
Classe de luxe

Promenade

Sur le **Vieux-Port** et ses quais bordés de boutiques et de restaurants qui l'enserrent dans un fer à cheval, il se passe quelque chose à toute heure du jour. Cela vaut la peine de faire un tour pêle-mêle dans l'histoire depuis le **quai du Port** vers le **quartier du Panier**. Le **musée des Docks romains** derrière l'hôtel de ville (place Vivaux) exhibe des vestiges d'entrepôts commerciaux romains. Sur la place de Lenche se trouve l'emplacement présumé de l'agora, la place du marché de la période grecque. Sous la rue Saint-Laurent, on peut voir des restes du théâtre antique. En empruntant des escaliers étroits et des ruelles, on arrive à la double cathédrale **Notre-Dame-de-la-Major** et à l'hospice de la **Vieille-Charité**. La promenade se poursuit par la rue du Petit-Puits et la rue de la République. Sur le front de mer du Vieux-Port: le **quai des Belges**, la principale artère commerçante, la **Canebière** avec ses opéras, ses bourses et ses banques pénètre dans la ville lumière. En haut du boulevard s'offre une vue du port. A hauteur du Théâtre national, fai-

Le vieux Marseille est à la frontière
entre la France et l'Afrique du Nord.

VILLES ET VILLAGES PITTORESQUES

tes demi-tour et revenez au quai des Belges.

La promenade continue maintenant du côté sud du port, le long du **quai de Rive-Neuve**, devant le fort rocailleux Saint-Nicolas, vers le **parc du Pharo**. De là-haut, la vue sur la ville, le port et la mer vaut le coup d'œil. Le palais était la résidence d'Eugénie, l'épouse de l'empereur Napoléon III.

Après ce magnifique panorama, prenez la **rue des Catalans**. Après un bon kilomètre, vous arrivez à la baie des pêcheurs du **vallon des Auffes** et son atmosphère maritime dont font également partie d'avenants restaurants à bouillabaisse. De là, mieux vaut continuer en voiture ou avec le bus 83. Mais les personnes qui n'ont pas peur de marcher peuvent s'engager dans la splendide **corniche Président-J.-F.-Kennedy** pour jouir d'un panorama unique sur la mer et les îles. Elle se prolonge par un boulevard aboutissant à la **plage du Prado**. A la **Pointe Rouge**, qui termine l'avenue du Prado, s'élève une réplique en marbre du *David* de Michel-Ange. Si la plage ne vous dit rien, allez vous reposer dans le **parc Borély**. **Durée:** 5 heures sans pause

Curiosités

Basilique Notre-Dame-de-la-Garde ■ L5

La Vierge dorée au sommet du campanile (60 m) semble veiller sur la ville dont elle est le symbole. Cette basilique néo-byzantine a vu le jour vers 1850 sur le site d'une chapelle, lieu de pèlerinage. Marbres, mosaïques et ex-voto en habillent l'intérieur. Dans la crypte, remarquez une émouvante Mater dolorosa de marbre. La fête de Notre-Dame est le 15 août. Le parvis d'une hauteur de 162 mètres

offre le panorama le plus saisissant sur la ville.
Parking près de la basilique
Bus 60 au Vieux-Port

Belvédère Saint-Laurent ■ I5

Sur le parvis de l'ancienne paroisse des gens de mer (XIIe siècle) près du fort Saint-Jean dans le Vieux-Port, on découvre (après 92 marches) une belle vue sur la plus grande partie de Marseille.

Cathédrale de la Major ■ H5/I5

Deux cathédrales fondues en une seule: la somptueuse la Major dont la construction va du XIe au XVIIe siècle, a été remplacée par une église moderne attenante. Des parties de l'ancienne cathédrale sont intégrées dans la nouvelle (1893). La Major abrite de nombreuses œuvres d'art, dont un autel reliquaire roman (XIIe siècle) et une chapelle de Saint-Lazare (XVe siècle).
Pour les visites guidées, demandez au portier de la nouvelle cathédrale (sauf lu).
Bus: 57, 83

Château d'If ■ I6

Fortification sur un îlot devant le Vieux-Port, anciennement une prison. Il fut rendu mondialement célèbre par le roman *Le Comte de Monte-Cristo* d'Alexandre Dumas.

Cité radieuse

Le Corbusier, architecte d'avant-garde, créa cette cité en 1947-1952 pour quelque 1 500 personnes. Des variations sur ce grand projet urbain qui a marqué l'histoire de l'architecture ont été réalisées plus tard à Nantes (1956) et à Berlin (1957) notamment.
Bd. Michelet (sud)
Métro: ligne 1

Forts Saint-Jean et Saint-Nicolas ■ I5/J5
Ces deux citadelles sur leur rocher commandaient en sentinelles l'entrée du Vieux-Port: Saint-Jean (XIIe/XVIIe siècles) côté nord et Saint-Nicolas (XVIIe siècle) côté sud. Dans le même temps, des canons étaient braqués sur la ville afin, selon le vœu de Louis XIV, de la tenir en respect.

Jardins et parcs
Sur les 300 jardins publics, le vaste parc du **château Borély** (XVIIIe siècle, futur musée des Arts décoratifs) près de la plage du Prado est le plus prisé. Ce parc comporte un jardin botanique et une serre tropicale (fermés sa matin, di et ma, entrée: 10 FF). Au centre, au bout de la Canebière, se trouvent deux parcs: le **parc des Palais de Longchamp** avec zoo et le **parc du Pharo** près du fort Saint-Nicolas. Le jardin public du **square Alexandre Ier**, près de la place de Gaulle avec la statue du sculpteur baroque Pierre Puget, est un lieu de réunion populaire.

Hôtel de ville ■ J4
Vieil édifice, hôtel baroque d'influence italienne (1674).
Quai du Port
Métro: lignes 1, 2; bus: 35

Jardin des Vestiges ■ I3/J3
Situé derrière la bourse, c'est le terrain de fouilles archéologiques où les vestiges de la Massalia phocéenne ont été mis au jour (IIe/IIIe siècles). Les fouilles sont exhibées dans un musée conjointement à une épave romaine.
1, Canebière
Métro: lignes 1, 2; bus: 7, 8

Maison de Cabre ■ I4
Ce plus vieil hôtel gothique

flamboyant (construit en 1535) est aussi le plus beau de son époque. Il fut épargné lors de la destruction du quartier des bordels par l'armée allemande.
Angle Grand-Rue/rue Bonneterie

Maison diamantée ■ I4
La façade de ce musée municipal qui présente des diamants de pierre a donné son nom à cet ancien hôtel particulier (construit en 1553). On y retrace les événements historiques de la ville comme l'année de la peste en 1720 et on y expose les arts et traditions populaires.
2, rue de la Prison

Saint-Victor ■ J5
Cette église fortifiée (XIIIe/XIVe siècles) est érigée à l'emplacement d'une abbaye de Saint-Cassiano (Ve siècle), pour rendre hommage à saint Victor, un martyr du IIIe siècle. Le fait qu'elle soit fortifiée s'explique par la proximité du Vieux-Port qui faisait l'objet d'attaques fréquentes. Dans la crypte, on peut encore voir des vestiges de Saint-Cassiano. Les catacombes sont depuis le Moyen Age un lieu de vénération de saint Lazare et sainte Marie-Madeleine. Le porche à colonnades, un des plus vieux de son espèce, est voûté de lourdes ogives (début XIIe siècle).
Pl. Saint-Victor
Bus: 83
Tous les jours 9 h - 12 h et 15 h - 18 h, sauf le matin des di et jours fériés

La Vieille-Charité ■ H4
Le bel édifice baroque (XVIIe siècle), entouré par un hospice aux arcades pittoresques, est à présent un centre culturel. Il abrite à la fois un Musée d'archéologie de la mer Méditerranée avec des antiquités égyptiennes et celto-ligures et le

VILLES ET VILLAGES PITTORESQUES

Musée ethnographique.
2, rue de la Vieille-Charité
Bus: 57, 61

Vieux-Port ■ J4/J5
Le Vieux-Port fut à l'origine de
Marseille, le premier port de la ville
phocéenne fortifiée de Massalia, un
avant-poste de l'Asie Mineure.
C'était un passage obligé pour les
futurs colons de la mare nostrum
romaine. A l'époque moderne,
Marseille prit son essor en devenant
un port international avec des
liaisons vers l'Amérique du Nord et
du Sud, mais surtout vers l'Afrique
et l'Asie Mineure. De nos jours, le
Vieux-Port sert de port de plaisance
et de but d'excursion.
Métro: lignes 1, 2; bus: 35, 55, 60

Musées

Les musées sont ouverts tous les
jours sauf le ma et le me de 10 h –
12 h et de 14 h – 18 h 30. Entrée:
6 FF en moyenne.

Musée Cantini ■ K3
Cette collection est la preuve que
les faïences marseillaises des XVIIe
et XVIIIe siècles sont appréciées à
juste titre par les connaisseurs. Une
section est consacrée à la
photographie.
19, rue Grignan
Métro: ligne 1
Ouvert tous les jours

Musée Grobet-Labadié ■ I1
Collections de mobilier, d'objets
d'art et artisanaux précieux réunies
dans l'hôtel particulier (datant de
1873) de l'industriel et amoureux
passionné de l'art qu'était Labadié.
Très beaux instruments de musique
dus à sa fille Marie qui épousa un
musicien.
140, bd. Longchamp
Métro: ligne 2

Musée de la Mode ■ J3/J4
Le musée de la Mode, ouvert en
1993 seulement, présente sur deux
étages la production de couturiers
contemporains. Plus une boutique-

Le palais Longchamp de style Empire abrite pour l'heure deux musées.

bibliothèque avec des livres sur la mode, le design et les accessoires et une cafétéria où se rafraîchir.
11, Canebière
Métro: lignes 1, 2
En été, tous les jours 11 h – 18 h, me jusqu' à 22 h, en hiver, 10 h – 17 h, fermé lu

Palais Longchamp ■ I1
Deux musées occupent cette pompeuse construction de style Second Empire (construit en 1869): dans l'aile droite le muséum d'Histoire naturelle, dans l'aile gauche le musée des Beaux-Arts. Une section est consacrée à l'art africain des anciennes colonies.
Bd. Longchamp
Métro: ligne 2

Restaurants

Bar de la Marine ■ J4
Situé sur le Vieux-Port, on peut y prendre le petit déjeuner, l'apéritif, des tapas, un plat du jour (50 FF) ou un petit menu. Lieu de rendez-vous populaire.
14, quai de Rive-Neuve
Métro: lignes 1, 2
Tél. 04 91 54 95 47
Fermé di
Classe de prix inférieure à moyenne

Caruso ■ I5
Avantageusement situé sur le Vieux-Port avec une belle terrasse. La cuisine italo-provençale est réputée.
Spécialité: bouillabaisse.
158, quai du Port
Métro: lignes 1, 2; bus: 35
Tél. 04 91 90 94 04
Fermé di soir, lu et du 15 oct. au 1er nov.
Classe de prix moyenne à élevée

Chez Antoine ■ J3
Un restaurant en ville. Sert des spécialités italiennes et des pizzas aussi la nuit.
35, rue du Musée
Métro: lignes 1, 2
Tél. 04 91 54 02 64
Fermé ma
Classe de prix inférieure à moyenne

Chez Fonfon
Excellent bistrot à poissons du port de pêche où l'on sert de succulents plats comme la bourride, la bouillabaisse ou du poisson grillé.
140, rue du Vallon-des-Auffes
Bus: 83
Tél. 04 91 52 14 38
Classe de prix élevée

Chez Jeannot
Restaurant qui fait d'excellentes pizzas. Belle vue de la terrasse.
129, rue du Vallon-des-Auffes
Bus: 83
Tél. 04 91 52 11 28
Fermé lu et di soir, en hiver du 1er déc. au 15 jan.
Classe de prix inférieure

L'Epuisette
Impossible d'être plus "poisson" que ce restaurant, car on y mange juste au-dessus des vagues. Spécialités de soupe de poissons, d'aïoli et de poissons fraîchement pêchés.
Rue du Vallon-des-Auffes
Bus: 83
Tél. 04 91 52 17 82
Fermé sa midi, dimanche soir, en hiver
Classe de prix élevée

Aux Mets de Provence chez Maurice Brun ■ J4/J5
Atmosphère feutrée de musée avec vue du bel étage sur le port propice à la dégustation de la gastronomie provençale.

M. Brun est passé maître dans l'art de la table provençale. Sa cuisine obéit ainsi à une grande pureté bannissant la bouillabaisse commune au profit de la délicate bourride, de succulents poissons au gril, de l'agneau ou de la daube de bœuf, le tout encadré de hors-d'œuvre et de desserts maison et accompagné de vins régionaux. Ces mets copieux et savoureux sont exactement ce que vous attendiez d'eux: une initiation à la "Provence profonde".
18, quai de Rive-Neuve
Métro: lignes 1, 2
Tél. 04 91 33 35 38
Fermé lu, di et jours fériés
Classe de prix élevée

Miramar ■ J4
Grand choix de poissons, excellente bouillabaisse, délicieux cassoulet. Terrasse sur le trottoir.
12, quai du Port
Métro: lignes 1, 2; bus: 35
Tél. 04 91 91 10 40
Lu-sa 12 h – 14 h et 19 h – 22 h
Fermé di et du 1er au 22 août
Classe de prix élevée

Le Panier des Arts ■ I4
Petit restaurant sympa avec bonne cuisine provençale, situé dans le quartier du Panier.
3, rue du Petit-Puits
Métro: ligne 1
Tél. 04 91 56 02 32
Fermé di
Classe de prix inférieure (le midi) à élevée

Achats

La cité marseillaise est un centre d'achats par excellence. Celui qui veut compléter son équipement de vacances trouvera certainement son bonheur dans les rues adjacentes de la Canebière, à l'exemple des Galeries Lafayette.

Henri Ménard Antiquités ■ L3
Modèles de navires et casques de plongée, sextants et élégantes chaises longues, marines et souvenirs exotiques. Bref: c'est toute l'atmosphère des voyages au long cours qui séduit le visiteur.
54, rue Saint-Suffren
Fermé di et août

Marchés
Antiquités et brocantes ■ J3/K3
Cours Julien
Métro: ligne 2
Un di sur deux

Fleurs, légumes, alimentation
Pl. des Capucines
Tous les jours 8 h – 18 h

Marché aux poissons ■ J4
Quai des Belges
Métro: lignes 1, 2; bus: 55, 60
Tous les jours 8 h – 13 h

Marché aux puces
Chemin de la Madrague-Ville/av. du Cap-Pinède
Métro: ligne 2; bus: 36
Di 5 h – 18 h

Marché à l'ail
Pl. aux Huiles
Bus: 54, 58, 61, 81
Mi-juin à mi-juillet

Spécialités
Four des Navettes ■ J5
Spécialité: une fine pâtisserie au goût d'orange en forme de petit bateau.
136, rue Sainte
Bus: 54, 55, 61
Tous les jours 7 h – 19 h 30

Maison Arax ■ J3
Cette épicerie au sens premier du

terme a vraisemblablement pour ambition de soutenir la réputation de "port de l'Orient" de Marseille: elle offre des gourmandises de tous les pays riverains de la Méditerranée.
27, rue d'Aubagne
Métro: lignes 1, 2; bus: 7, 8, 21, 31
Fermé le midi en août

Le soir

Marseille propose des activités nocturnes très diversifiées (34 discothèques, par ex.).
Evitez les rues sombres surtout au nord de la Canebière, prenez le plus souvent possible un taxi. En fait, l'insécurité est moins grande qu'il n'y paraît. Quant au programme culturel proprement dit, lisez la presse ou adressez-vous à l'office de tourisme.

Le Péano ■ J4
Jazz sur le Vieux-Port.
30, cours d'Estienne-d'Orves
Bus: 55, 60
Tél. 04 91 54 46 43

Services

Informations ■ J4
Office de tourisme
4, Canebière

13008 Marseille
Métro: ligne 1, 2; bus: 7, 8, 21, 31
Tél. 04 91 54 91 11
En été, tous les jours 9 h – 21 h, le reste de l'année lu-ve 9 h – 18 h 30, sa 9 h – 12 h, 14 h – 18 h

Aéroport
Navette depuis la gare Saint-Charles.
Tél. 04 42 78 21 00

Gare Saint-Charles (SNCF)
Tél. 04 91 08 84 50 50 ■ I2

Ambulance (SAMU)
Tél. 15

Transports publics
Le métro roule de 5 h – 21 h (toutes les 15 min.)
Horaire des bus: tél. 04 91 91 92 10
Les tickets de bus et de métro sont vendus aux distributeurs automatiques dans les stations et dans les bureaux de tabac. Un voyage coûte 6,50 FF, six voyages (carnet) sont meilleur marché.

Assistance routière
Garage Errico
585, rue Saint-Pierre
Tél. 04 91 47 29 34
(jour et nuit)

STOP

L e pittoresque **ferry-boat du Vieux-Port** propose un programme particulier et bon marché au demeurant. Ce bac traditionnel assure la navette entre les longues avenues que sont le quai du Port (embarcadère près de l'hôtel de ville) et le quai de Rive-Neuve (pl. aux Huiles) à travers le trafic portuaire. A moins de posséder un yacht de luxe, ce ferry-boat, pour les enfants surtout, est le moyen de "naviguer" à Marseille. Le bac fonctionne de 7 h – 12 h et de 13 h – 19 h et coûte 3 FF environ.

Police secours
Tél. 17

Poste ■ I4
Centrale
Pl. de l'Hôtel-des-Postes
Tél. 04 91 90 00 16
Lu-ve 8 h 30 – 19 h,
sa 8 h 30 – 12 h

Excursions en bateau
Des petits bateaux font la navette
de 7 à 19 heures entre le Vieux-Port
et l'île de Frioul et le château d'If.
Les deux destinations coûtent 32 FF
séparément et 50 FF combinées.
Des promenades dans les
Calanques coûtent 80 FF.

Bateaux SNCM ■ H4
61, docks des Dames (2 heures)
Tél. 04 91 56 32 00

Tours de ville
Par l'entremise de l'office de
tourisme. Deux heures à pied, 2 h
30 en car. Tours du port également.

Taxis
Marseille Taxis
Tél. 04 91 02 20 20

Excursions
Aubagne ■ E5

La commune de l'écrivain et
cinéaste **Marcel Pagnol** (1875-
1974), Aubagnais de naissance, est
une cité charmante peuplée de
gens tout aussi charmants. La vieille
ville en particulier. Aubagne est
également connue pour sa
céramique et les petits personnages
d'argile, les **santons**, qui y sont
fabriqués dans de nombreux
ateliers. Depuis son départ
d'Algérie, la légion étrangère est
stationnée à Aubagne. Le marché

des antiquaires et des brocanteurs
recèle parfois de vraies curiosités
(dernier di du mois).

Musée

Musée de la Légion étrangère
Il relate l'histoire de la Légion
étrangère à l'aide de documents et
d'objets. Chaque année, le 30 avril,
on célèbre officiellement la fête de
la Légion, le Camerone.
A 1 km à l 'ouest d'Aubagne sur la
D 44A
Juin à sept. tous les jours sauf lu
10 h – 12 h, 15 h – 19 h; le reste de
l'année me, sa, di 10 – 12 h et
14 h – 18 h

Bandol ■ F6

Village de pêcheurs aux avenues
ébouriffées de palmiers, aux vastes
bassins de plaisance, aux belles
plages de sable et aux jolies baies.

Hôtel

Golf Hôtel
Hôtel sur la plage de Rénecros (sans
restaurant).
Bd. Lumière
Tél. 04 94 29 45 83
24 chambres
Fermé de mi-oct. à Pâques
Classe de prix élevée

Service

Office de tourisme
Allées Vivien
83150 Bandol
Tél. 04 94 29 41 35

Reliefs

La chaîne de l'Etoile directement au nord de Marseille se prête à une courte excursion. La **chaîne de l'Estaque** (à l'ouest entre la mer et l'étang de Berre) a été immortalisée par les toiles de Cézanne. Au milieu de ce relief boisé, on trouve un paysage de garrigue nue et abandonnée. Le petit **massif de Marseilleveyre**, qui s'insère au sud entre Marseille et la mer, est cher aux randonneurs à cause de ses panoramas. Mais c'est aussi le domaine des alpinistes attirés surtout par les parois abruptes des Calanques. Les Provençaux trouvent lugubre le légendaire **massif de la Sainte-Baume** à l'est qui culmine à 1 147 mètres au signal de la Sainte-Baume. La forêt ancestrale, déjà sacrée pour les Gaulois, est simplement entretenue, mais non exploitée. Des zones de changements climatiques extrêmes et diverses formes de paysages autorisent une végétation inhabituelle et diversifiée. Sainte Marie-Madeleine aurait passé 33 ans en pénitence dans la grotte de la **Sainte-Baume** sur le versant ouest. On accède à la grotte en passant par Plan-d'Aups et l'Hôtellerie qui héberge des pèlerins; 1 heure à pied (aller/retour) au départ du parking du carrefour des Chones. Du Saint-Pilon (alt. 994 m), un panorama grandiose s'étend sur le relief provençal et la mer. On peut gravir ce sommet depuis la grotte par le sentier de grande randonnée GR 9 (rectangle rouge et blanc) (2 heures aller/retour).

Calanques ■ D6/E6

Des échancrures ressemblant à des fjords dont certaines s'enfoncent de plus de 500 mètres dans la roche dure découpent la côte entre Marseille et Cassis. Certaines d'entre elles sont populaires et l'on n'y accède qu'en bateau à cause de leurs hauts flancs abrupts. En-Vau est la plus belle (voir Marseille Services, excursions en bateau, p. 94).

Les calanques de Cassis constituent un paysage de fjords.

VILLES ET VILLAGES PITTORESQUES

Cassis ■ E6

La baie de Cassis a inspiré des peintres comme Dufy, Matisse et Vlaminck et il n'y a rien d'étonnant à cela. Ce site séduisant s'ordonne sur des collines autour du vieux port. Assis à une terrasse de café sur le quai, on est littéralement au premier rang. La promenade des Lombards le long de la grande plage de sable est une ravissante promenade, tout près du piton rocheux que couronne le château des Baux (XIVe siècle). Au plus fort de la saison, Cassis est ultra-fréquentée. Les automobilistes doivent tenir compte d'un manque éventuel de places de stationnement.

Hôtel/Restaurant

Plage du Bestouan
Hôtel-restaurant sur la plage avec vue sur mer. Priorité aux poissons.
La plage du Bestouan
Tél. 04 42 01 05 70
Fax 04 41 01 34 82
30 chambres
Fermé de nov. à mars
Classe de prix moyenne à élevée

Service

Informations
Office de tourisme
Pl. Baragnon
13260 Cassis
Tél. 04 42 01 71 17

La Ciotat ■ E6

Si Cassis est une ville balnéaire dorée, La Ciotat reste la cendrillon des stations balnéaires de ce littoral. Les chantiers navals sont remplis de grands navires. Le vieux port et sa promenade bordée d'un chapelet de restaurants et de bistrots dégagent une simplicité toute marine. La station à côté du port de plaisance très fréquentée pendant les vacances n'est pas dépourvue de charme. Vue magnifique sur la côte sud escarpée depuis Notre-Dame-de-la-Garde.

Hôtel/Restaurant

Ciotel Le Cap
Situé au-dessus de la mer avec un beau jardin, une piscine et un terrain de tennis. On y sert une cuisine classique aux accents provençaux. Corniche du Liouquet (à 6 km env., direction Toulon)

Sur le front de mer de Cassis, d'où les voitures sont bannies, les terrasses de cafés se succèdent.

Tél. 04 42 83 90 30
Fax 04 42 83 04 17
43 chambres
Classe de prix élevée

Service

Informations
Office de tourisme
Bd. Anatole-France
13600 La Ciotat
Tél. 04 42 08 67 50

Martigues ∎C5

Située au bord de l'étang de Berre, l'ancienne "Venise provençale" (Camille Corot y a exercé ses talents) a pris en marche le train de l'industrialisation. C'est pourtant le point de départ de circuits intéressants pour les Marseillais.

Pont Flavien ∎ C4

Pont romain (Ier siècle après J.-C.) avec arc de triomphe près de Saint-Chamas sur la berge nord de l'étang de Berre (D 10).

Sanary-sur-Mer ∎ F6

Le littoral profite déjà ici de la popularité de la Côte d'Azur. Avec raison, puisque la petite ville de Sanary n'est pas sans attraits avec ses jolies plages de sable, son école de voile et une bonne infrastructure touristique.

Hôtel/Restaurant

Grand Hôtel des Bains
Situé au calme sur le port et jouissant d'une vue sur la mer.
Allée Estienne-d'Orves
Tél. 04 94 74 13 47
30 chambres
Classe de prix moyenne

Service

Informations
Office de tourisme
Jardins de la ville
83110 Sanary-sur-Mer
Tél. 04 94 74 01 04

Saint-Blaise ∎ C5

Dans cet important site archéologique au bord de l'étang de Lavalduc (entre Martigues et Istres), on dénombre une succession de huit colonies de la même ville portuaire. C'est peut-être l'emplacement aux VIIe/VIIIe siècles avant J.-C. de la légendaire Mastramelle. Des navigateurs étrusques y auraient même fondé un comptoir faisant essentiellement le négoce du sel et du vin. Les Celto-Ligures occupèrent un sanctuaire avec portiques à crânes. Le rempart hellénistique cyclopéen élevé par des maîtres grecs entre 175 et 140 avant J.-C. est impressionnant. La conquête romaine de l' "oppidum du sel" (Ier siècle avant J.-C.) sonna son déclin. Au Ve siècle, la ville reprend vie à l'ère paléochrétienne. En 1390, les bandes de Raymond de Turenne mettent Castelveyre et l'église Notre-Dame-et-Saint-Blaise à sac. Les survivants se réfugièrent à Saint-Mitre et le site ne fut plus jamais occupé. Le résultat des fouilles est exposé dans un petit musée; la part du lion a cependant été transférée à Saint-Rémy-de-Provence et on peut l'admirer aux côtés des trésors du Glanum (hôtel de Sade). Il émane un charme indéfinissable de ce site historique et la vue de la pointe de rocher sur la mer et les environs est imposante.
Juin à mi-sept. tous les jours 8 h – 12 h et 15 h – 17 h, le reste de l'année 9 h – 12 h et 14 h – 17 h; fermé mar et 1er jan, 1er mai, 11 nov., 25 déc. Entrée: 15 FF

Le théâtre antique d'Orange est le mieux préservé d'Europe. L'arc de triomphe est un superbe échantillon d'architecture romaine.

La route du nord suit un grand axe routier très ancien. Votre itinéraire vous mènera le long de vergers, de vignobles, de champs de melons, de maïs, de tomates et d'artichauts entrecoupés de bois et de buissons qui tempèrent la fougue du mistral. Les lacs scintillent et les fontaines pétillent.

Pour beaucoup de vacanciers, Orange est la première ville provençale visitée. Places pittoresques, terrasses de cafés accueil-

Orange
■ C1

lantes, recoins sans âge de la vieille ville et soudain, une rue commerçante où les gens se pressent joyeusement. C'est la première impression qu'offre Orange. On voit un vieil homme coiffé d'un bonnet alpin devant un verre de rouge observant nonchalamment une partie de boules. Puis on élève un podium sur la place de la République: un orchestre doit animer une soirée d'été. Aux premières mesures, le vieil homme s'en va.

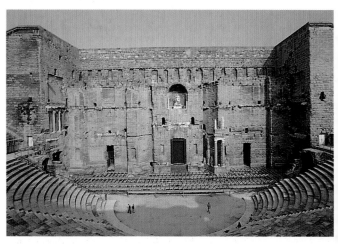

Comme si les Romains venaient de partir – le théâtre d'Orange

98

Appréciée des Romains et dévastée par les Hollandais

L'héritage romain d'Orange n'est pas négligeable. Le paysage maraîcher fertile qui entoure la ville explique ce qui a plu aux conquérants. Les Celto-Ligures, dominés par les Romains, ont vécu ici. En 105 avant J.-C., les Cimbres et les Teutons germaniques vainquirent les légions romaines au pied de la colline du théâtre (créant la panique à Rome). Trois ans plus tard, les Romains prirent leur revanche dans les environs d'Aix. Marius extermina entièrement les Teutons (les Cimbres étaient partis plus loin). Les Romains bâtirent leur Aurasio (qui a donné Orange) selon les plans d'urbanisme dignes d'une métropole de leur **Provincia Gallia Narbonensis**: capitole, théâtre, cirque, temple et thermes. Cette ville riche aurait compté jusqu'à 100 000 habitants à l'apogée de sa prospérité.

La cité fut partiellement ravagée par les Wisigoths. Plus tard, elle devint siège d'un évêché et d'une principauté, échouant à une branche de la maison des Baux. En 1544, Orange fait partie de l'héritage de la maison de Nassau-Dillenburg qui y ajoute le nom d'Orange. La dynastie royale des Pays-Bas revendique d'ailleurs toujours le titre d'Orange-Nassau.

Le premier "Orange", le prince Guillaume le Taciturne (1533-1584), devint le stadhouder de la république des Provinces-Unies convertie en royaume en 1815. Maurice de Nassau munit la ville en 1622 d'un château et d'une enceinte. Il n'était malheureusement pas très amateur d'art antique: les édifices romains servirent de carrières et disparurent, exceptés le théâtre et l'arc de triomphe. Louis XIV eut un comportement radicalement différent. En 1713, il s'empare de la principauté avec le traité d'Utrecht. Il qualifia le mur de scène de "plus belle muraille du royaume".

Ville d'art et de musique

Le **festival Chorégies**, qui a pour cadre le Théâtre antique, a conféré à la ville une renommée internationale. Rien que la pensée d'entendre chanter l'aria passionné d'amour et de mort de la Tosca sous un baldaquin d'étoiles... En 1994, le festival eut la chance d'engager Gwyneth Jones pour tenir ce rôle-titre. A côté de l'opéra, on y exécute aussi des symphonies comme la *Neuvième* de Beethoven avec le grand chœur. Mais Orange ne se résume pas à son festival. L'industrie agro-alimentaire et de la chaussure ainsi qu'une kyrielle de petites entreprises produisent également des ressources importantes.

Au centre d'une vaste région agricole, Orange est aussi un grand centre commerçant. Le marché hebdomadaire très fréquenté attire autant les touristes que les habitants de la ville.

VILLES ET VILLAGES PITTORESQUES

Hôtels et logements

Arène

A peine à un jet de pierre du Théâtre antique, cet hôtel à l'ambiance agréable se trouve sur une place calme et bien ombragée.
Pl. de Langes
Tél. 04 90 34 10 95
Fax 04 90 34 91 62
30 chambres
Classe de prix moyenne

Mas des Aigras

Demeure joliment rénovée dans un environnement rural avec jardin et piscine. Les chambres sont sobres, mais confortables.
Chemin des Aigras (à 2 km par la N 7)
Tél. 04 90 34 81 01
Fax 04 90 34 05 66
11 chambres
Classe de prix moyenne

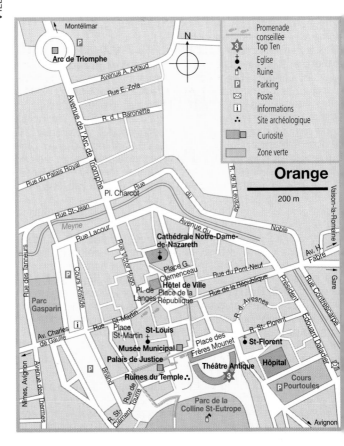

Promenade

Vous pouvez stationner sur la grande place le long du cours Aristide-Briand. La **rue Saint-Martin** vous mènera au cœur de la vieille ville, la **rue de la République** (son prolongement) est la rue piétonnière. Les habitants de grandes métropoles ne seront guère tentés d'y faire du shopping. Il est plus tentant de prendre le café sur la **place Clémenceau**. **Notre-Dame-de-Nazareth** (IVe et XIe siècles), qui a pourtant souffert des guerres de religion, vaut une brève visite. On croit toujours apercevoir des vestiges de l'enceinte romaine sur les façades des maisons. Impossible de passer à côté du théâtre antique: il domine toute la ville. Une balade sur la **colline Saint-Eutrope**, lieu très fréquenté des Orangeois, est conseillée pour la vue.

Curiosités

Arc de triomphe

La porte aux trois arcades fut élevée en 49 avant J.-C après la conquête des Gaules par César. Sous ce troisième arc de triomphe (18 m de haut, 19 m de large, 8 m de profondeur) passait la via Agrippa qui reliait Lyon à Arles. Cette porte fut dédiée plus tard à l'empereur Tibère (42 avant J.-C.-37 après J.-C.). C'est lui qui arrêta la célèbre deuxième légion de César à Aurasio (Orange), étant donc à l'origine de la ville romaine. La conquête des Gaules sur terre et sur mer est illustrée par des frises de combattants et des trophées à la manière hellénistique. L'élaboration des décorations florales est remarquable.
A la sortie vers Montélimar, N 7

Colline Saint-Eutrope

Parc couronnant la colline rocheuse surplombant la ville, d'où l'on peut voir l'intérieur du théâtre antique et d'où la vue s'étend loin sur le Rhône. Les ruines d'un ensemble fortifié évoquent la maison hollandaise d'Orange-Nassau. Bien des matériaux antiques ont servi à son érection. Un centre récréatif (avec piscine) et un terrain de camping répondent aux besoins du temps présent.
Parking à l'arrière de la colline (panneau d'information à côté de la statue de la Vierge)

Théâtre antique

Le complexe du théâtre antique fascine par ses dimensions imposantes. Le mur de scène, haut de 37 mètres et long de 103 mètres, est pratiquement intact. La "porte royale" est surmontée d'une niche haute de près de 20 mètres, décorée de manière impressionnante par une statue en marbre d'Auguste haute de 3,55 mètres. On suppose que le théâtre a un rapport avec le culte impérial. L'époque de construction, 10-25 après J.-C., coïncide avec la période de transition entre les régences d'Auguste et de son successeur Tibère.
On ne peut que faire des hypothèses sur le faste du décor. Les festivaliers peuvent s'assurer de l'excellence de l'acoustique du théâtre romain: le mur extérieur renvoie le son dans la **cavea** (l'hémicycle). Les gradins en demi-cercle pouvaient contenir 21 000 spectateurs, contre 10 000 amateurs d'opéra actuellement. Les représentations en soirée dans le plus beau décor antique d'Europe illuminé ont un cachet inimitable. A côté du théâtre, des fouilles ont

TOPTEN
3

mis au jour un temple où l'on peut s'arrêter.

La présence probable d'un **gymnase** (à l'origine, un endroit dévolu à la "gymnastique" de l'âme et du corps) n'a pas encore pu être attestée avec certitude.

Visite

Avril à sept. tous les jours 9 h – 12 h et 14 h – 18 h 30, le reste de l'année jusqu'à 17 h, fermé ma

Entrée: 15 FF (Le ticket est également valable pour le musée et le gymnase.)

Musée

Musée municipal

Le musée municipal présente des débris lapidaires de l'histoire locale, y compris la préhistoire. L'Antiquité romaine est particulièrement bien représentée à Orange. Plus sensationnels, les fragments d'un cadastre (qui commence en 77 avant J.-C.) et, gravé dans le marbre, le plan d'un territoire d'une superficie de 836 km^2. D'autres salles sont consacrées à des traditions locales plus récentes, telle la fabrication des "indiennes" au XVIIIe siècle.

Pl. des Frères-Mounet (près du théâtre antique)

Avril à oct. tous les jours 9 h – 12 h et 14 h – 19 h, le reste de l'année jusqu'à 17 h, fermé ma

Entrée: 15 FF (pour le musée, le théâtre et le gymnase)

Restaurants

L'Aigo-Boulido

Le gibier est particulièrement à recommander. Ambiance provençale.
20, pl. Sylvain
Tél. 04 90 34 18 19
Fermé lu
Classe de prix moyenne

Le Garden

Bonne cuisine française servie sur une terrasse sous de vieux platanes.
Pl. de Langes (à côté de l'hôtel Arène)
Tél. 04 90 34 64 47
Fermé di et lu
Classe de prix élevée

La Roselière

Restaurant sans chichi avec jolie terrasse. Cuisine provençale "du patron" honnête.
Rue du Renoyer
Tél. 04 90 34 50 42
Classe de prix inférieure

Achats

Marché hebdomadaire

Cours Aristide-Briand
Je 9 h – 13 h

Services

Informations

Office de tourisme
5, cours Aristide Briand
84107 Orange
Tél. 04 90 34 70 88
Fax 04 90 34 99 62
Pâques à fin sept. lu-sa 9 h – 19 h, di 9 h – 13 h; le reste de l'année lu-sa 9 h – 17 h

Festival

Soirées d'opéra et de récital dans le théâtre antique et sur le cours Saint-Louis.
Programme et réservations:
Chorégies d'Orange
B.P. 205
84107 Orange Cedex
Tél. 04 90 34 24 24
Fax 04 90 34 15 52
Caisse à côté du théâtre antique
Lu-sa 9 h – 12 h et 14 h – 18 h

Excursions

Carpentras ■ C2

L'ancienne capitale du comté Venaissin se trouve au centre d'un paysage luxuriant sur lequel semble veiller, au loin, le **mont Ventoux**. De 1320 à 1789, Carpentras relevait directement de l'autorité du Saint-Siège. A l'heure actuelle, la ville (25 000 habitants) cernée par deux boulevards garde encore son éclat auquel contribuent de jolies places et fontaines. Sur les 32 tours et les 4 portes de l'enceinte du XIVe siècle, seule subsiste la porte d'Orange qui commande l'entrée de la ville. L'**arc de triomphe** romain fut déplacé d'une église romane vers l'Hôtel-Dieu classique. La cathédrale gothique **Saint-Siffrein** (XVe/XVIe siècles) et son trésor méritent une visite. A signaler la porte juive et son mystérieux "rat juif" que les juifs convertis empruntaient pour se faire baptiser. La communauté juive disposait de la plus ancienne synagogue, reconstruite en 1743 après la destruction du "ghetto juif", avec quantité d'éléments de l'édifice original. Célèbre aussi est la bibliothèque Inguimbertine, fondée en 1745, avec ses 250 000 ouvrages dont des manuscrits, des incunables et des premières éditions.

Hôtel

Fiacre
Hôtel respectable installé dans une demeure du XVIIIe siècle.
153, rue Vigne
Tél. 04 90 63 03 15
Fax 04 90 60 51 21
20 chambres
Classe de prix moyenne

Musées

Musée Duplessis
Expositions temporaires.
234, bd. Albin-Durand
Ma-ve 9 h 30 – 12 h et
14 h 30 – 18 h 30
lu seulement l'après-midi, sa seulement le matin

Synagogue
Décoration précieuse.

STOP

Les musiciens peuvent être de très grands artistes, tout comme les facteurs d'instruments de musique, surtout lorsqu'ils sont spécialisés. Jean-Pierre Magnan fabrique des **instruments traditionnels** avec lesquels on interprète les airs et les danses provençales: flûtes (galoubets), flûtes traversières, tambourins et épinettes. Grâce à un artisanat de vénérable tradition, ses instruments sont artistiquement facturés et ciselés en bois noble. 8, rue du Mazeau, 84110 Orange; tél. 04 90 34 25 62, lu-ve 8 h – 12 h et 14 h – 18 h

VILLES ET VILLAGES PITTORESQUES

pl. de l'Hôtel-de-Ville
Visites guidées tél. 04 90 60 00 48

Restaurant

Le Vert Galant
Arrivages journaliers de poissons et
légumes frais, bases d'excellentes
préparations.
12, rue de Clapies
Tél. 04 90 67 15 50
Fermé sa midi, di
Classe de prix inférieure (le midi) à
élevée

Achats

Marché hebdomadaire
Allée Jean-Jaurès
Ve 8 h – 12 h

Marché aux truffes
Allée Jean-Jaurès
Fin nov. à mars, ve 8 h – 12 h

Spécialité
Les "berlingots". Dans toutes les
bonnes confiseries de la vieille ville.

Service

Informations
Office de tourisme
170, av. Jean-Jaurès
Tél. 04 90 63 00 78

Châteauneuf-
du-Pape ■ C2

Il ne reste de l'ancienne résidence
d'été des papes d'Avignon qu'une
fantastique ruine. Le nom a été
transféré au cru le plus célèbre de
France. La beauté du bourg et des
vignobles est incomparable.

Hôtel/Restaurants

**Hostellerie Château des Fines
Roches**
Dans un château appartenant à l'un
des vignobles les plus renommés de
la vallée du Rhône. Les chambres
sont meublées à l'ancienne. La
table exceptionnelle a deux étoiles
au Michelin.
Il est conseillé de réserver.
Tél. 04 90 83 70 23
Fax 04 90 83 78 42
7 chambres
20 déc. à fin fév.; oct. à juin
Fermé di soir et lu
Classe de prix élevée à classe de
luxe

La Mère Germaine
Fine cuisine provençale.
Sur la place du village.
Tél. 04 90 83 70 72
Fax 04 90 83 53 20
8 chambres
Classe de prix inférieure à élevée

Achats

Domaines viticoles qui acceptent les
visiteurs:
Domaines Bosquet des Papes
Route d'Orange
Tél. 04 90 83 72 33
Domaine Durieu
10, av. Baron-le-Roy
Tél. 04 90 37 28 14

Service

Informations
Office de tourisme
Pl. du Portail
84230 Châteauneuf-du-Pape
Tél. 04 90 83 71 08

Dentelles de Montmirail ■ C1

Le mot "dentelles" se rapporte manifestement au découpage ouvragé des crêtes rocheuses situées à l'ouest du **mont Ventoux**. Le plus haut sommet, le pic Saint-Amand n'a certes que 734 mètres de haut, mais on a le sentiment d'un décor de théâtre dans l'un des plus stupéfiants micropaysages de Provence. C'est une civilisation séculaire aux grottes préhistoriques, aux ruines perchées et aux châteaux enchanteurs comme **Le Barroux**. Et surtout des localités viticoles typiques. Nombre d'entre elles sont fières de leur église romane, ainsi **Beaumes-de-Venise** et **Gigondas** célèbres pour leur vin. Sans oublier les bourgs viticoles de **Sablet** et de **Vacqueyras**. Cette région est également parfaite pour les randonneurs et les cyclotouristes, voire pour les varappeurs.

Service
Informations

Office de tourisme
Cours Jean-Jaurès
84190 Beaumes-de-Venise
Tél. 04 90 62 94 39
Office de tourisme
Pl. du Portail
84190 Gigondas
Tél. 04 90 65 85 46

Gorges de la Nesque ■ D2

Un paysage de montagnes, sauvage et romantique, où la Nesque creuse une profonde gorge dans les assises calcaires. La superbe route en corniche serpente à mi-chemin entre falaises grises et gouffres béants.

Leurs crêtes en aiguille ont donné leur nom aux Dentelles de Montmirail.

Mont Ventoux ■ D1

Le massif du mont Ventoux domine le Vaucluse, l'un des principaux paysages de Provence. Le sommet tout blanc de neige en hiver jusque tard au printemps et de calcaire éclatant le reste de l'année est un spectacle étonnant depuis des temps immémoriaux.

 TOPTEN 7

Les Romains bâtirent Vasio (Vaison-la-Romaine), une "ville si riche" sur ses flancs. Les Provençaux ceignirent ses épaules de forêts sombres, de champs de lavande en fleur, de charmantes collines plantées de vignes et d'endroits pittoresques. Tandis que les grandes figures et les poètes, comme Pétrarque, vénèrent le sommet haut de 1 909 mètres, les aventuriers et les coureurs cyclistes se lancent à sa conquête. **Bédoin, Entrechaux** et **Malaucène** sont des pôles d'attraction de par la beauté de leur site. Ils offrent des programmes variés allant de la promenade, la randonnée à vélo ou à cheval à l'escalade et au ski en passant par la cueillette des champignons.

Services

Informations
Office de tourisme
Pl. du Marché
84410 Bédoin
Tél. 04 90 65 63 95

Office de tourisme
Pl. de la Mairie
84340 Malaucène
Tél. 04 90 65 22 59

Locations de vélos
Midi Cycle
Vente et réparations également.
Randonnées en vélo dans le massif du Ventoux.
Bédoin
Tél. 04 90 65 63 63

Vaison-la-Romaine ■ C1

Le pays du vin et de la lavande autour de Vaison-la-Romaine possède un charme particulier. On appelle la ville elle-même, la Vasio des Romains, la "Rome provençale". C'est une exagération peut-être un pleu flatteuse, encore que les fouilles archéologiques soient vraiment exceptionnelles. La topographie du site en bordure de l'Ouvèze, sur le flanc nord des Dentelles de Montmirail, a incité le peuple celtique des Voconces à s'y établir. La région fut conquise en 125 avant J.-C. par le général Fluvius Flaccus. Près de 70 ans plus tard, la paix est conclue et César donne à la ville le statut de ville alliée de l'Empire romain. Les bienfaits de cette fédération paisible ne tardèrent pas à se manifester, de sorte que le chroniqueur Pomponius Mela la qualifia de *urbs opulentissima*, une ville très riche. Durant les invasions barbares, elle fut la proie fréquente des Germains qui finirent par détruire la ville basse. Les habitants se réfugièrent dans la haute ville fortifiée et ne redescendirent qu'au VIIIe siècle pour reconstruire leur habitat dévasté. L'ancienne Vasio romaine semblait oubliée. Mais les premiers coups de pelle furent donnés en 1840, et depuis 1907, avec l'aide d'une fondation privée, des parcelles du centre de la ville sont achetées en vue de dégager les vestiges antiques de Vaison-la-Romaine. Dès l'entrée de la ville, les regards des visiteurs plongent de la balustrade du parking dans le quartier de la Villasse où se trouvaient du côté droit des villas (*domus*), des thermes, des galeries à colonnes et une rue commerçante. Dans le quartier de Puymin (à gauche de la rue

principale), on a mis au jour la maison des Messii, le portique de Pompée, des maisons de rapport et une nymphée. Une construction plus importante paraît avoir été un prétoire. Un théâtre, pouvant redevenir opérationnel après quelques travaux de restauration, a une capacité de 6 000 spectateurs. Le musée présente le précieux produit des fouilles. Le pittoresque pont romain jeté sur l'Ouvèze relie la ville moderne à la ville haute médiévale dominée par un château en ruine. La cathédrale Notre-Dame-de-Nazareth avec son beau cloître est un exemple éloquent de l'art roman provençal.
Visite des fouilles archéologiques tous les jours 9 h – 12 h 30 et 14 h – 19 h

Les fouilles de Vaison-la-Romaine montrent comment vivaient les Romains

Hôtel

Le Beffroi
Belle demeure historique (XVIe siècle) avec jardin en terrasse sur les hauteurs avec une vue magnifique sur la vallée et le village médiéval. Ambiance agréable.
Rue de l'Evêché (ville haute)
Tél. 04 90 36 04 71
22 chambres
Restaurant fermé lu soir
Classe de prix moyenne à élevée

Musée

Musée archéologique Théo Desplans
Le produit des fouilles romaines de Vaison y est présenté de manière agréable, donnant une bonne idée de ce qu'était la civilisation gallo-romaine. Parmi les plus belles pièces, citons pêle-mêle la statue de l'impératrice Sabine et une tête de Vénus laurée.

Entrée vis-à-vis du pavillon abritant le syndicat d'initiative.
Tous les jours 10 h – 13 h et 15 h – 17 h

Achats

Marché provençal
Situé dans la ville basse.
Juin à oct. ma 8 h – 12 h

Marché aux vins
Vins primeurs avec cortège de Bacchus.
Nov. (info: tél. 04 90 36 02 11)

Service

Informations
Office de tourisme
Pl. du Chanoine-Sautel
84110 Vaison-la-Romaine
Tél. 04 90 63 02 11
Fax 04 90 36 20 14

La Provence est comme une vedette dont le pouvoir de séduction grandit de rôle en rôle. Allons donc la voir triompher entre le mont Ventoux et le Luberon.

La Provence vous charme par ses visages totalement opposés. Elle force le respect tantôt avec ses lointains sommets qui semblent trôner sur le monde, tantôt avec la solitude de ses forêts, avec ses chèvres et ses moutons sur le plateau du Vaucluse ou avec ses innombrables vignobles dans les vallées.

Les excursions traversent des paysages typiques qui, il est vrai, ne la représentent pas sous tous ses aspects. Elles incitent le visiteur à aller à la découverte des multiples identités et des qualités de la Provence. Ces excursions vous mèneront au mont Ventoux et à travers les vignobles et les jardins fertiles, par les monts et les vaux du Luberon et dans les canyons de la Nesque.

Ce n'est guère qu'un tout petit aperçu de ce que la Provence peut offrir, mais, après cet avantgoût, vous voudrez certainement en voir davantage.

Toutes les localités et les sites importants rencontrés en cours de route font l'objet d'une description plus fouillée au chapitre "Villes et villages pittoresques".

Sillonnez la Provence dans une vieille 2 CV.

Entre le Vaucluse et le Luberon

Les paysages contrastés du Vaucluse méridional et de la montagne du Luberon sont le berceau de la douceur de vivre provençale, comme en témoignent les restaurants, les marchés et les fêtes.

Cavaillon, animée, urbaine et au riche passé, est un bon point de départ. La promenade en voiture conduit d'abord (D 938) à **L'Isle-sur-la-Sorgue**, une jolie petite ville aux nombreux bras de rivière et aux roues à aubes moussues. La balade continue par **Fontaine-de-Vaucluse**, la "source du Vaucluse" vers le village perché de **Gordes**. L'abbaye romane cistercienne de **Sénanque** (fléchée), isolée dans la montagne, vaut vraiment le détour. De Gordes, la route mène vers l'est à **Roussillon** au cœur du paysage fantasque des carrières d'ocre. Droit au sud, nous rencontrons après le croisement de la N 100 le **pont Julien** romain. Puis nous roulons vers **Apt** pour un tour à pied de la ville. De l'ancienne résidence épiscopale, nous nous dirigeons vers Saignon (D 48) et Auribeau. Dans la plaine de Claparède, ne manquez pas d'admirer les bories, ces habitations de l'âge de la pierre.

Au nord d'Auribeau, au pied de **Mourre Nègre** (1 125 mètres), on emprunte une route dans les bois qui débouche sur le sentier GR 92. L'ascension du sommet (1/2 journée aller/retour) est récompensée par une vue grandiose. Par la D 232 et la D 113, on atteint les ruines de **Fort Buoux** (une heure de visite en tout). Sur cet éperon rocheux, les Celto-Ligures se sont défendus jadis. La traversée (D 943) du ravin d'**Aigue Brun**, desservi par le petit train du Luberon, est recommandée pour la beauté de ses paysages. Les littéraires peuvent se recueillir sur la tombe d'Albert Camus dans le cimetière du village de **Lourmarin**.

Reprenez la D 943 en direction de **Bonnieux**, un petit village à flanc de montagne avec un splendide panorama sur le val de Coulon et le pays d'Apt. Si vous avez le temps, empruntez le chemin instructif balisé à travers la forêt de cèdres avant de poursuivre vers **Lacoste** par la D 109. Le château doit sa renommée au marquis de Sade (1740-1814). Continuez sur la D 109 puis la D 2, mais pas sans visiter **Oppède-le-Vieux**. Ce village à la situation idyllique dans la montagne s'étage en terrasse adossé au Petit Luberon. Retournez sur vos pas par la D 2 à travers les vignes et les champs de légumes. Des roselières denses et des cyprès protègent le village du souffle violent du mistral.

Durée: 1 journée (en cas d'ascension du Mourre Nègre, écourtez l'excursion)
Kilométrage: env. 120-130 km
Carte: voir rabat avant

EXCURSIONS

D'Orange au mont Ventoux

Au départ d'Orange, ce circuit qui emprunte la D 975 en direction de Vaison-la-Romaine s'agrémente d'une vue ravissante sans cesse renouvelée. D'abord des vignobles à perte de vue, puis sur la droite, les Dentelles de Montmirail surgissant au fond du paysage vallonné. Avant d'arriver à **Vaison-la-Romaine**, la route serpente parallèlement aux boucles de l'Ouvèze.

Une courte visite réserve des surprises. Vous pouvez jeter un coup d'œil sur les fouilles archéologiques du quartier de la Villasse ou bien faire un petit tour du côté du théâtre antique dans le quartier de Puymin et du pont romain. La D 938 en direction de **Malaucène** suit le cours du Groseau. Malaucène possède une église fortifiée et une vieille ville médiévale.

Peu après la sortie, la D 974 passe devant l'ancienne abbatiale **Notre-Dame-du-Groseau** qui pendant des siècles a défendu l'entrée du bourg. Puis la route asphaltée, bordée de part et d'autre d'une forêt de conifères, gravit en lacets la face nord de la colline.

Ici et là les arbres font place à une superbe vue comme à la maison forestière de Ramayettes. Les chalets et les remontées mécaniques du **mont Serein** (1 445 mètres) étonnent quiconque se plaignait une demi-heure auparavant de la chaleur qui régnait dans la vallée. Après quelques lacets, le sommet est atteint. Le spectacle d'une espèce d' "immense champ de cailloux" fait songer à un paysage lunaire. Le panorama est fantastique: au sud la Méditerranée, à l'est les sommets alpins, à l'ouest les Pyrénées.

La descente se fait sur la face sud où la station de ski de **Châlet-Reynard** (ouverte en été avec possibilités de restauration) marque la limite des arbres. Soyez extrêmement prudent dans la descente car des (coureurs) cyclistes ont l'habitude de traverser la route à une vitesse folle. Le tour de France cycliste comporte parfois une arrivée d'étape au sommet du mont Ventoux.

La route continue par Saint-Estève vers le village enchanteur de **Bédoin**. Du sommet, il y a environ 22 kilomètres, mais le dénivelé est de 1 600 mètres, l'écart de température de près de 20 degrés. En bas, on se retrouve à nouveau dans un jardin arcadien planté de vignes, de figuiers, de cerisiers, de pêchers et de rosiers. Deux routes en mauvais état (la D 19 et la D 938) vous mènent à **Le Barroux** (Les Géraniums, agréable restaurant de classe de prix inférieure à moyenne) et ensuite, vous contournez les Dentelles par leur flanc sud. Les jolies localités viticoles qui s'y nichent sont **Beaumes-de-Venise**, **Vacqueyras** et **Gigondas**. Regagnez Orange par la D 975.

Durée: 1 journée (arrêts compris)
Kilométrage: env. 130 km
Carte: voir rabat avant

A travers les gorges de la Nesque

Cet itinéraire traverse un relief sauvage et romantique au départ de paysages de champs de lavande et de légumes, entre le **mont Ventoux** et le **plateau du Vaucluse**. La principale attraction est le grand **canyon de la Nesque** qui se fraie un passage dans le plateau calcaire. La route étroite (D 942) longe le ravin, disparaissant ici et là sous de petits tunnels ou franchissant des ponts de pierre. On regarde parfois les gorges profondes où gronde la rivière, parfois les chaînes de montagne boisées et les pics dénudés. Le plus haut sommet est le rocher du Cire (872 mètres) que l'on aperçoit de l'autre côté du ravin depuis le balcon du Belvédère (734 mètres).

Base d'excursions, **Sault** est un petit village de montagne à 800 mètres d'altitude, centre de la lavande, du miel et du nougat. De la terrasse, on découvre une vue sur des paysages contrastés. La route est bonne, même pour les vélos. Les pentes ne dépassent pas 9 %. Le plus beau trajet accidenté, 25 kilomètres environ, prend fin à quelque 2 kilomètres avant Villes-sur-Auzon. La D 942 quitte ici les gorges de la Nesque dans un large virage qui offre un dernier panorama splendide. De là, on retourne à Sault par le même chemin. A moins d'avoir envie de se rafraîchir dans la piscine de Villes-sur-Auzon, là où la route amorce sa longue descente.

Durée: 1/2 à 1 journée suivant les arrêts et la forme physique
Kilométrage: env. 56 km (aller/retour)
Carte: voir rabat avant

Pause sur une placette typiquement provençale

111

Urgences

Pour la Belgique
Numéro d'appel d'urgence de
Touring Assistance:
19-32 22 33 23 45

Pour la France
Numéro d'appel d'urgence de
Touring Assistance:
Tél. 04 72 17 12 71
Centre antipoison de Marseille
Tél. 04 91 75 25 25
Police Tél. 17
Pompiers Tél. 18

Camping

Tout comme les hôtels, les terrains
de camping de Provence sont clas-
sés en catégories munies d'étoiles.
Le camping à la ferme est souvent
avantageux. Le camping sauvage,
sur le littoral, à la lisière de la forêt
ou au bord de lacs artificiels, est
passible d'une sévère amende. Dans
tous les cas, demandez conseil à
l'office de tourisme. En été, il est
prudent de réserver un emplacement de camping avant la saison.
Le camping en Provence jouit aussi
d'une grande popularité parmi les
Français.

Représentations diplomatiques

**Consulat belge
en Provence**
5, rue Gabriel-Fauré
06046 Nice
Tél. 04 93 87 79 56
ou 04 93 88 23 48
Fax 04 93 87 41 96

**Ambassade de France à
Bruxelles**
65, rue Ducale

1000 Bruxelles
Tél. 02 512 17 18

Voltage

En France le courant est de 220 V.
Les prises murales françaises
obéissent à d'autres normes qu'en
Belgique, mais les "fiches
européennes" plates s'y adaptent
parfaitement.
Pour les "fiches de sécurité", il faut
un adaptateur.

Jours fériés

1 janvier   Nouvel An
Lundi de Pâques
1 mai   fête du travail
Lundi de Pentecôte
14 juillet   Fête nationale
15 août   Assomption
1 novembre   Armistice de 1918
25 décembre   Noël
Il faut y ajouter quelques jours
fériés locaux.

Pourboire

Il varie entre 5 et 10 % en fonction
du degré de satisfaction. Certaines
professions s'attendent à recevoir
un pourboire: l'ouvreuse de cinéma,
le coiffeur, le chauffeur de taxi, le
guide touristique, la femme de
chambre, etc.

Photographies

Achetez le bon film avant de partir,
vous éviterez ainsi de faire un achat
erroné ou trop onéreux. Dans les
châteaux, les églises et les musées,
il n'est pas toujours permis de
prendre des photos. L'usage du
flash est généralement interdit,
surtout s'il y a des objets sensibles à
la lumière.

Argent

L'unité monétaire est le **franc français** (FF) = 100 centimes (c). Il existe des pièces de 1, 2, 5, 10 et 20 FF et des billets de 10, 20, 50, 100, 200 et 500 FF.

Avant de partir, prévoyez d'acheter une certaine somme en francs français car, si vous voyagez en voiture, vous aurez besoin de monnaie aux péages (sans compter pour faire le plein et vous restaurer). Si vous emportez des francs belges, des eurochèques et des cartes de crédit, vous n'aurez quasiment aucune difficulté à vous procurer des francs français. Les bureaux de change ont des horaires plus souples que les banques et pratiquent les taux de change usuels. Les frais administratifs sont variables. Les retraits d'argent au cours du jour au moyen de postchèques dans les bureaux de poste du lieu de séjour sont gratuits. Les retraits par eurochèque sont limités à 1 400 FF. Il faut ordinairement présenter sa carte d'identité.

Les **cartes de crédit** sont acceptées dans les meilleurs hôtels et restaurants, mais aussi dans les stations-service et aux péages autoroutiers. **Heures d'ouverture** des banques: lu-ve 9 h 30 – 12 h et 14 h – 16 h 30. La veille d'un jour férié jusqu'à 12 h.

Informations

Presque toutes les localités de Provence accueillant des touristes l'été disposent d'un **office de tourisme** ou d'un **syndicat d'initiative** qui dispensent des renseignements. Si vous cherchez un hôtel ou autre logement ou un restaurant spécial, si vous désirez un programme de festival, un conseil en matière de promenade ou des informations routières, on vous répondra. Dans les offices de tourisme de villes comme Aix ou Arles, on parle plusieurs langues. En milieu rural, on a l'habitude de respecter strictement l'interruption de midi. Les heures

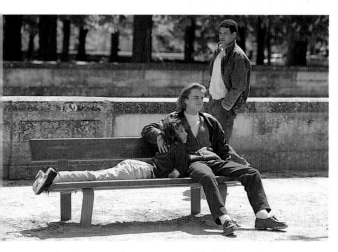

La vie provençale ne reste pas confinée à l'intérieur.

INFORMATIONS IMPORTANTES

d'ouverture sont de 9 h – 12 h et de 14 h – 18 h. Dans les grands centres, on travaille plus longtemps en haute saison et on renonce à faire la sieste.

Auberges de jeunesse

La forme d'hébergement la moins chère reste l'auberge de jeunesse, généralement bien située.
Pour cela, il faut bien sûr être en possession d'une carte internationale d'affiliation aux auberges de jeunesse à réclamer auprès de la FUAJ française. N'oubliez pas à cette occasion de mentionner la région de destination. Vous obtiendrez aussi ces documents gratuitement auprès de l'Office français du tourisme.

Fédération unie des auberges de jeunesse (FUAJ)
6, rue Mesnil
75116 Paris
Tél. 01 45 05 13 14
Réservations:
La boutique des auberges de jeunesse
126, rue d'Aubagne
13006 Marseille
Métro: cours Julien
Tél. 04 91 42 94 29

Vêtements

Si vous voyagez en été, tenez compte du fait qu'il faut pouvoir se changer rapidement. Un chandail, de bonnes chaussures et un imperméable léger sont parfois utiles. Le mistral, un vent du nord qui souffle parfois des jours durant, peut occasionner des chutes de température de plus de 10 degrés. Les randonneurs doivent s'armer contre les intempéries qui peuvent être fortes en montagne. Il arrive que le temps soit frisquet même dans les stations balnéaires.

Journaux

Vous trouverez naturellement un choix important de journaux et magazines en langue française dans les kiosques ou les "tabacs". Les journaux belges sont de la veille dans le meilleur des cas.

Soins médicaux

Le vacancier doit payer comptant les frais de médecin (malgré l'accord conclu entre la France et les mutuelles belges). Pour prétendre au remboursement d'une mutuelle belge, il convient, avant la visite chez le médecin, de retirer un formulaire ad hoc à la Caisse primaire d'assurance maladie. Le médecin doit délivrer une attestation de soins. Au retour, il suffit de présenter la facture à sa propre mutuelle. Il est prudent de souscrire une assurance complémentaire pour la durée du voyage, car la quote-part supportée par l'affilié est importante.

Naturisme

Bronzer "seins nus" est le plus souvent admis, mais pas forcément dans les piscines de tous les hôtels. Il existe des coins retirés ou des portions de plage réservées à la pratique du naturisme. Sur les plages ordinaires, le naturisme est rare, voire interdit. Pour tout renseignement sur les plages et les campings naturistes dans l'ensemble de la Provence, adressez-vous au:

Comité régional du tourisme Provence
2, rue Henri-Barbusse
13241 Marseille Cedex 01
Tél. 04 91 37 91 22

Transports publics

Les chemins de fer français (SNCF) renforcent la faible densité du réseau ferroviaire par des lignes de bus urbains. Les offices de tourisme vous communiqueront leurs horaires. Le départ a lieu dans des gares routières, mais comme la ponctualité n'est pas incluse dans le prix du ticket, armez-vous de patience.

Toponymie

Les noms de lieux figurent en français et en provençal.

Poste

Les timbres et les télécartes sont vendus dans les "tabacs" (enseigne carotte rouge).
Le port des lettres est de 3 FF, 2,70 FF pour les cartes postales
Heures d'ouverture dans les villes:
lu-ve 8 h – 19 h, sa 8 h – 12 h; dans les petits villages: lu-ve 9 h – 12 h et 15 h – 18 h, sa 9 h – 12 h

Radio

Les radios locales sont nombreuses. Les émissions d'informations belges sont captées via la radio internationale. Pour plus de précisions, contactez l'émetteur concerné.

Langue

Le provençal ou l'occitan, comme il s'appelle depuis le début du XIXe siècle, est basé sur deux dialectes du sud de la France d'origine gallo-romaine qui étaient parlés au Moyen Age entre le Rhône et la Garonne.

Au début, il se nommait roman (de *lenga romana*) et le nom provençal (du latin *provincialis*), qui signifiait généralement la langue régionale du sud de la France, apparut au XIIIe siècle. Occitan vient de langue d'oc, "oc" (du latin hoc) étant la manière de dire "oui" dans le Sud de la France. Au XVIe siècle, le provençal fut supplanté par l'introduction officielle du français (du Nord). Depuis 150 ans environ, il est à nouveau enseigné en option dans les écoles provençales. Le poète néoprovençal Frédéric Mistral (1830-1914) réussit avec son poème épique *Mireille*, qui lui valut en 1904 le prix Nobel de littérature, à raviver l'intérêt pour la langue provençale tant au niveau international qu'auprès de ses propres compatriotes. Cependant, on ne la parle plus guère de nos jours.

Téléphone

Téléphoner d'un bureau de poste suppose de le faire durant les heures d'ouverture et d'attendre. Par contre, avec la télécarte, acceptée par la plupart des cabines téléphoniques, vous êtes complètement indépendant. Vous pouvez l'acheter dans un "tabac" ou un bureau de poste. Autre avantage: vous pouvez vous faire appeler dans une cabine: le numéro d'appel est inscrit au-dessus de l'appareil.
L'indicatif pour la Belgique est le 1932.
Ne pas former le 0 de l'indicatif de la ville.

INFORMATIONS IN

Télévision

Jur une réception correcte, les campeurs doivent prévoir dans leurs bagages un téléviseur multinormes comportant la sélection Sécam-ouest.
Dans les hôtels à partir de la classe de prix moyenne, il y a automatiquement une télévision dans toutes les chambres.

Décalage horaire

La France vit à l'heure de l'Europe centrale avec une heure d'été de fin mars à fin septembre.

Douane

Les contrôles douaniers aux frontières internes de l'Union européenne ont été supprimés, abrogeant de facto les restrictions quantitatives d'importation et d'exportation d'alcool et de tabac à usage personnel, mais pas les contrôles de sécurité. Le transport de marchandises à usage commercial est lui soumis à taxation.

Quand partir?

La saison débute tôt. Elle s'annonce déjà en mars avec les premières fleurs et la végétation est de jour en jour de plus en plus belle et colorée. En juillet-août, la Provence est le pays proverbialement "embrasé de soleil". A midi, il faut éviter tout effort. Septembre jouit de températures moins extrêmes, et les activités festives reviennent en force dans les villages. L'hiver peut être terriblement froid, même par grand soleil.

Conditions climatiques à **Marseille**:

	Températures moyennes en °C		Heures de soleil par jour	Jours de pluie	Température de l'eau en °C
	jour	nuit			
Janvier	10,0	1,5	2,5	8	12
Février	11,5	2,1	3,7	6	12
Mars	15,0	5,1	4,8	7	13
Avril	17,9	7,6	6,8	6	13
Mai	21,8	11,1	7,5	7	15
Juin	26,1	14,7	7,5	4	18
Juillet	28,9	17,1	7,1	2	21
Août	28,3	17,0	7,0	4	21
Septembre	25,1	14,7	5,8	6	20
Octobre	19,8	10,4	4,4	8	18
Novembre	14,7	6,0	2,6	8	16
Décembre	10,9	3,0	1,6	10	14

Source: Office météorologique allemand, Offenbach

INDEX

Vous trouverez ici les curiosités, musées, et buts d'excursion repris dans le présent guide. L'index répertorie également les principaux mots clés, les dénominations locales ainsi que tous les Stops du guide. Si un terme y figure à plusieurs reprises, le chiffre imprimé en **gras** renvoie au descriptif le plus complet. Les combinaisons de lettre et de chiffre apposées aux numéros de pages renvoient aux cartes.